L'ARCHITECTURE
A U J O U R D ' H U I

Andreas Papadakis
en collaboration avec James Steele

L'ARCHITECTURE
A U J O U R D ' H U I

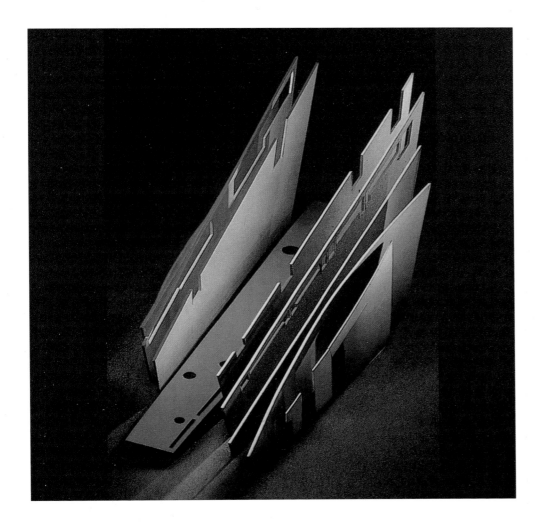

PIERRE TERRAIL

Illustration de couverture
Frank Gehry : Vitra Design Museum, Weil am
Rhein, Allemagne.

Illustration de la page 1
I. M. Pei : Pyramide du Louvre, Paris.

Pages précédentes
à gauche
Aldo Rossi : Il Palazzo, Fukuoka, Japon.

à droite
Odile Decq/Benoît Cornette :
La maquette est le message.

Direction éditoriale : Jean-Claude Dubost et Jean-François Gonthier
Direction artistique : Bernard Girodroux
Réalisation graphique : Bruno Leprince, Artegrafica, Paris
Traduction française : Ken Hylton
Adaptation et organisation de l'ouvrage : Olivier Boissière
Flashage : Compo Rive Gauche, Paris

© FINEST S.A. / ÉDITIONS PIERRE TERRAIL, PARIS, 1991
N° d'éditeur : 104
ISBN : 2-87939-024-9
Dépôt légal : octobre 1991
Printed in Italy
La Zincografica Fiorentina

Sommaire

Introduction

En moins de dix ans, l'architecture a subi une mutation radicale dont la rapidité et l'ampleur sont sans égales dans l'Histoire. Au dogmatisme du mouvement Moderne, et de la phase de reconstruction qui a suivi la Deuxième Guerre mondiale, s'est substituée une idéologie pluraliste qui embrasse l'avant-garde *High-Tech*, la tradition classique, et toutes les écoles intermédiaires. Ce climat ouvert a donné un second souffle aux architectes, qui peuvent exprimer un large éventail de philosophies et de goûts. Il semble rétrospectivement que les réactions polémiques à l'encontre du Modernisme (1), loin de l'achever, ont donné à certaines de ses idées fondatrices un élan nouveau, adapté aux conditions actuelles. Les débats qu'elles provoquent ne se posent plus exclusivement à l'intérieur de la profession, mais aussi en dehors de celle-ci : le post-modernisme et l'approche "humaniste" du prince Charles d'Angleterre, concourent également à une liberté d'expression dont témoigne le présent ouvrage.

C'est dans les images de la déconstruction, école de pensée qui anime étudiants, architectes et intellectuels de l'avant-garde, que s'exprime le mieux cette liberté nouvelle. Demeurées longtemps au stade de projet, les images de la déconstruction sont désormais en voie d'être concrétisées. Les *folies* du parc de La Villette à Paris démontrent les possibilités créatives de la démarche. Elle témoigne également d'un certain civisme, en transformant un paysage urbain sans qualités en un parc unique et contemporain.

Les travaux de bien d'autres architectes auraient pu figurer dans ce livre. Mais tous ceux qui sont présentés ici participent incontestablement des débats actuels. En dehors des questions de style ou d'idéologie, la fraîcheur des images et la qualité des bâtiments ont enrichi l'environment. Ce panorama, non-exhaustif, de l'architecture de la décennie 1980 porte plus particulièrement sur les œuvres dont l'influence s'exerce aujourd'hui sur les étudiants et les jeunes professionnels qui façonneront l'architecture de la génération à venir.

Andreas Papadakis

---

(1) Les principales figures du Modernisme européen sont Le Corbusier, pour la France, Hannes Meyer, Walter Gropius, Mies Van der Rohe, Bruno Taut, et le groupe du Bauhaus, en Allemagne, et Moiseï Guinzburg, les frères Vesnine et Ivan Leonidov, en URSS.

L'architecture classique, une juste cause

D'un point de vue esthétique, les tenants de l'architecture classique ont adopté la théorie de l'imitation. L'art, affirment-ils, imite le monde réel et en choisit des aspects significatifs pour en tirer des représentations mythiques. Faisons une comparaison significative ; un documentaire sur les atrocités de la guerre civile et les *atrocités de la guerre* telles qu'elles sont dépeintes par Goya dans *Saturne dévorant ses enfants*. Le documentaire provoque l'horreur. L'œuvre de Goya nous procure un plaisir esthétique, provoqué par la distance qu'il instaure à l'égard de la réalité pour nous permettre de contempler le tragique de la condition humaine.

Dans une perspective analogue, les tenants du classicisme avancent que l'architecture doit célébrer l'imitation de la construction, transcendée par les mythes et les idées d'une société donnée. Ils peuvent avoir trait à la vie, à la nature ou au mode de production. L'architecture s'en fait l'interprète en usant du langage de la construction, dans sa version légitimée par l'Histoire.

Bien des modernistes ont invoqué la vérité de la structure et des matériaux. Je veux insister ici sur le fait que l'imitation classique n'a rien de commun avec le fonctionnalisme structurel d'aujourd'hui. Le modernisme n'opère aucune distinction entre construction et architecture. Il n'imite nullement la construction: il use de matériaux bruts sans la médiation de l'imitation. Le résultat est là ; un siècle de réalisme muet sous l'égide de la production industrielle. *A contrario,* l'architecture classique révèle son caractère durable dans le dialogue qu'elle entretient entre l'art de la construction et l'art de l'architecture. Notre imagination est à l'œuvre dans l'espace de dialogue qui s'instaure entre une pergola et une colonnade, y établit des hiérarchies, des nivaux d'appropriation et des systèmes d'évaluation.

Aujourd'hui, l'éthique du marché, et son appréhension de l'original et de l'authentique, se base sur l'assertion que chaque œuvre d'art se doit d'être une invention suffisamment originale pour mériter un dépôt de brevet. Mais, l'architecture n'a rien à voir avec la manie de l'innovation ou les sophismes intellectuels, avec la transgression, l'ennui ou la parodie, avec la vie parasitaire, la culture excrémentielle ou la fascination cynique pour le malheur d'autrui. L'architecture se façonne à partir de décisions qui concernent le bien, le décent, l'approprié. Il est de notre responsabilité d'en établir les bases nouvelles pour notre temps. Si nous choisissons d'embrasser la tradition classique, nous y trouverons non des recettes, mais l'occasion de nous mettre en présence de l'esprit de la vie pratique, un esprit qui est moins un présent des dieux que la tâche nécessaire de s'ajuster aux contingences du présent.

Demetri Porphyrios

Page de gauche
Demetri Porphyrios : maison de Chelsea Square, Londres, Grande-Bretagne (peinture Rita Wolff).

Léon Krier

Léon Krier a une réputation bien ancrée de polémiste. Loin de la récuser, il en est fier, et se réclame de toutes ses résonances martiales. A l'instar de son frère aîné Rob, et d'autres qui se préoccupent de la ville et de son histoire comme une institution humaine de première importance, il dénonce les dogmes profondément enracinés du modernisme architectural et urbain pour avoir mis en péril le tissu urbain et les traditions de la cité. Krier attribue ce danger au développement des grands conglomérats politiques et économiques du XXᵉ siècle, et à leurs programmes toujours plus ambitieux de "rénovation urbaine".

Krier résume ses propres objectifs de la manière suivante : "Il ne s'agit pas de décrire une fatalité historique, mais d'établir l'hypothèse que la complexité sociale et culturelle de nos villes est nécessairement liée à sa structure et à sa densité physique... Pour ce qui est de l'aménagement urbain, je dirais en somme que la longueur et la largeur des îlots doivent être limitées à ce qui est typologiquement viable ; ces îlots doivent créer autant de rues et de places que possible, une trame horizontale et multi-directionnelle d'espaces urbains."

Par la défense acharnée de ces hypothèses, Krier a non seulement réussi à convaincre bon nombre d'architectes et d'urbanistes de la justesse de ses propos, mais il bénéficie désormais du "fait du prince" en la personne de Charles d'Angleterre, ce qui ne manquera pas d'élargir son auditoire. Dans le passé, Krier a souligné l'importance pour l'architecte de conserver ses distances à l'égard du "marché", qu'il percevait comme une menace pour son art. Aujourd'hui, il se trouve confronté à ces mêmes contraintes économiques, et s'efforce d'en jouer sans compromettre ses idéaux qui sont d'une très grande clarté, à l'image de ses dessins.

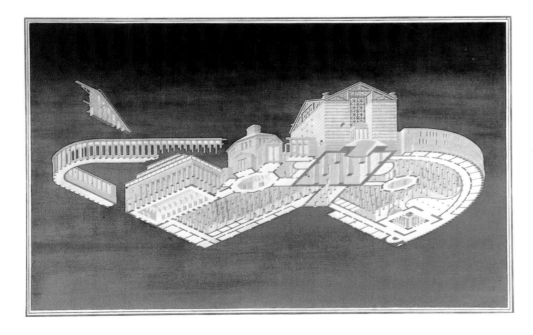

Page de gauche
Turris Bubonis.

Ci-contre
Projet de réaménagement, Berlin Tegel, Allemagne (peinture Rita Wolff).

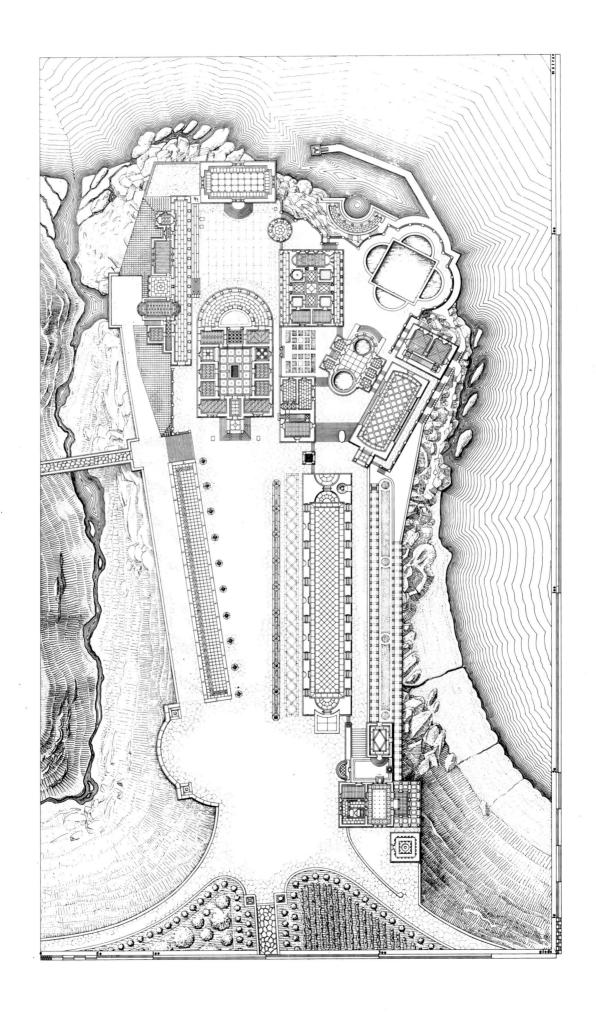

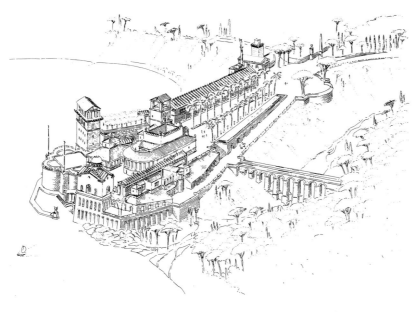

Page de gauche, ci-contre et ci-dessus
Une villa antique : celle de Pline dans le Laurentium, Italie centrale (peinture Rita Wolff).

Robert A. M. Stern

Robert Stern a toujours clairement rejeté les doctrines de la Modernité. Mais l'expression architecturale de ce rejet a évolué depuis le manifeste qu'il rédigea voici plus d'une décennie. Cette déclaration pose les valeurs d'une architecture associative, contextuelle, décorative, historiciste, communicative, celle d'une réponse à notre culture et non de son rejet. Ainsi, Stern a rendu explicite une position que d'autres architectes partageaient, mais qu'ils ne parvenaient pas à définir de façon claire. Dans "Les doubles du post-modernisme", texte qu'il rédigera peu après pour la revue *Architectural Design*, Stern va plus loin :

"Ce que nous appelons *la période moderne* débute au XVe siècle avec l'émergence de l'humanisme. Le 'style international' des années 1920-1960, est également moderne, bien qu'il soit souvent considéré comme *le* style Moderne, dans une transposition de valeurs qu'il faut bien qualifier de "moderniste". Le terme de modernisme désigne (pour simplifier) la mise en application dogmatique, voire moraliste, d'une valeur supérieure qui est non seulement nouvelle, mais totalement indépendante des productions du passé."

A la différence d'autres architectes qui prenaient leurs distances par rapport aux Modernes, Stern, dans un élan chauvin rendait convaincantes ses toutes dernières productions vernaculaires, et tendait à voir dans le post-modernisme un produit spécifiquement américain, d'inspiration savante. Son goût de la référence historique semble avoir gagné en profondeur depuis sa déclaration initiale - preuve éclatante qu'une position critique peut susciter une pluralité d'interprétations. Comme d'autres adeptes de la démarche classique ou traditionnelle, Stern continue à étayer son point de vue par une recherche minutieuse. Ainsi son grand amour de l'Histoire se révèle-t-il avec une authenticité accrue.

En comparaison de ses réalisations d'il y a quinze ans, telle la célèbre piscine Bourke, construite au moment où le post-modernisme triomphait, celles de Robert Sterne, aujourd'hui, semblent beaucoup plus traditionnelles.

Page de gauche et pages suivantes
Réfectoire d'Observatory Hill, université de Virginie, Etats-Unis.

Ci-contre et ci-dessus
Maison de Marblehead, Massachusetts, Etats-Unis.

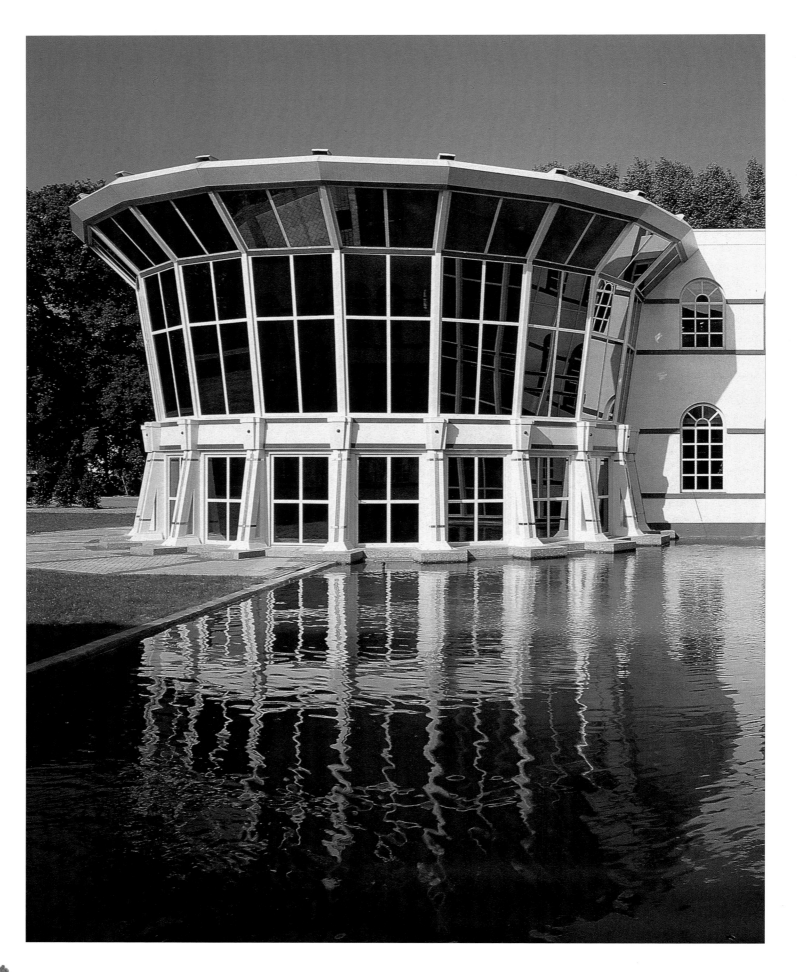

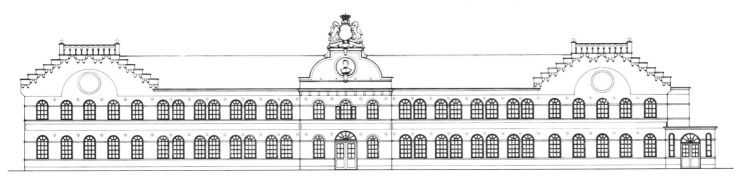

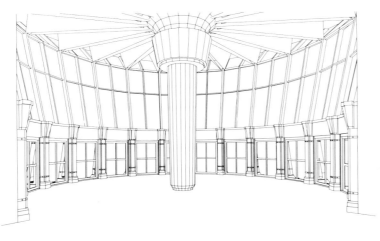

En tirant parti du vif contraste entre les matériaux, le style et les reflets dans l'eau, Stern crée un remarquable jeu de formes.

Page de gauche, ci-contre et ci-dessus
Siège social de Mexx, Pays-Bas.

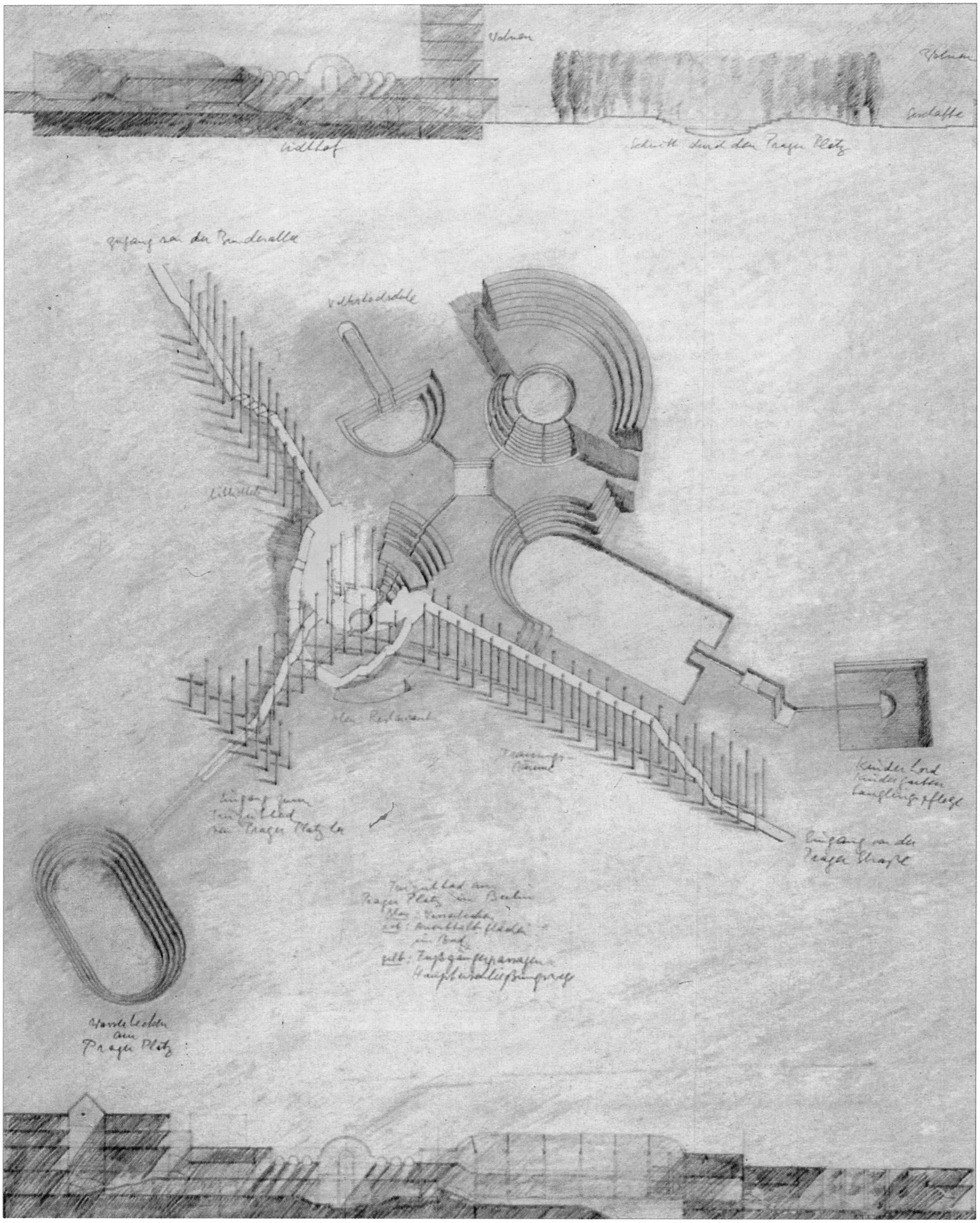
Schnitt durch den Prager Platz
Prager Platz in Berlin
Prager Platz

Rob Krier

La vision de Rob Krier embrasse la totalité de la ville. Convaincu que les architectes avaient perdu la capacité de lier leurs bâtiments aux autres afin de créer une unité élargie, il s'est consacré à la typologie pour reconstituer un tissu urbain en voie de disparition.

Après la Deuxième Guerre mondiale, il a fallu reconstruire bon nombre de villes européennes. Malheureusement, cette occasion historique pour l'architecture a coïncidé avec l'apothéose du mouvement Moderne, dont les défenseurs "détestaient" le milieu urbain. Les conséquences de cette désaffection donnent une pertinence accrue au travail de Rob Krier. Ses études de la ville sont fondées sur la perception de ce qu'il appelle les "éléments constructifs" appartenant à un répertoire archétypique ; il note que l'analyse de ces éléments est exclue des programmes d'études architecturales. Son apport au débat urbain est l'un des plus significatifs depuis celui de Camillo Sitte. Sa volonté de recréer la complexité des villes du passé constitue une alternative viable à l'héritage du style international.

L'attrait intellectuel des arguments de Rob Krier se trouve accru par le séduisant aspect qu'il leur donne.

Page de gauche
Prager Platz, Berlin, Allemagne.

Ci-contre
Aménagement du tracé de la "Via triumphalis", Karlsruhe, Allemagne.

Allan Greenberg

Allan Greenberg se préoccupe de ce que l'on pourrait appeler la représentation historique. Il se démarque des architectes qui ont le même souci du détail parce qu'il sait adapter les règles du passé aux prédilections d'aujourd'hui. L'architecture historiciste est particulièrement appréciée à Washington, où prédomine le style fédéraliste, reflet d'une continuité institutionnelle autant que des modes du moment. La liste de ses clients, qui ressemble à un *Who's Who* de hauts fonctionnaires et de grandes corporations, fournit une preuve supplémentaire de la diversité des goûts architecturaux.

Un des aspects les plus notables de son art est sa qualité d'exécution, qui demeure constante quelle que soit l'échelle du projet - fait remarquable, compte tenu de la difficulté de trouver des artisans capables de réaliser des détails dont la technique a généralement été oubliée, et de les adapter aux variations que Greenberg y introduit.

Allan Greenberg s'en est lui-même expliqué : "L'architecture classique des trois derniers millénaires peut se comparer à un grand fleuve, qui découle du passé et aboutit à l'avenir. Ses tenants appartiennent à des natures et des cultures spécifiques, et s'alimentent à leur tour d'une multiplicité d'architectures régionales et locales. A la source de chacun des petits ruisseaux se trouve l'œuvre d'un seul architecte. L'architecture des nations est facile à différencier, car le langage des formes classiques est si évolué que la main d'un grand architecte se lit dans le moindre détail d'une ordonnance de façade."

Des techniques artisanales longtemps négligées se trouvent réintroduites pour la création de détails tels que les moulages en stuc du plafond et les chapiteaux de la salle de réception George G. Marshall, à Washington.

Page de gauche, ci-contre et ci-dessus
Département d'Etat, Washington, Etats-Unis.

Pages suivantes
Ferme dans le Connecticut, Etats-Unis.

DOGMERSFIELD
PARK

TRIVMPHAL ARCH
END PAVILION
FOR NEW BVILDING
ROBERT ADAM · ARCHITECT
MCMLXXXV · ONE METRE SCALE

Robert Adam

Robert Adam est traité par la presse britannique de "franc-tireur du classicisme". C'est une indication, dans le climat pluraliste qui prévaut aujourd'hui, non seulement que les architectes classiques commencent à gagner les faveurs d'un certain public, mais qu'Adam a adopté une position tout à fait particulière à l'intérieur de cette école. Là ou d'autres proposeraient une traduction pure et simple du système constructif et du vocabulaire de l'antiquité, Adam doute qu'une transposition soit techniquement possible, étant donné la difficulté de trouver un modèle absolu. Il note que les époques successives du renouveau classique, bien que fondées sur un modèle que l'on croyait fiable, sont en fait marquées par un effort d'interprétation basé sur une vision du passé spécifique à chaque période. Dans son rôle iconoclaste, Adam considère "l'intégrisme constructif" des nouveaux classiques comme une réaction inutile au mouvement Moderne ; il préconise plutôt une reconsidération des retombées de la technologie moderne, puisque le terme grec de *tekhnê* désigne l'artisanat, et que les classiques ont toujours incorporé les innovations dans leurs constructions :

"La technologie n'est pas une chose en elle-même, n'ayant d'existence que sous la forme de techniques de fabrication. L'évolution technologique d'une société est fonction de la somme des procédés impliqués dans l'opération, l'utilisation ou la production de ces objets."

Par contre, en adoptant une position élitiste ou exclusive, le Modernisme, a fini par étouffer l'intégration technologique qu'il avait voulu exprimer. Adam considère que la démarche classique, loin d'être limitative, s'ouvre à l'originalité, à l'innovation et aux technologies, et qu'elle reflète les valeurs de notre époque.

S'il apparaît tout d'abord comme un membre à part entière de la grande famille des classicisants, Robert Adam se révèle très vite capable d'opérer des variations à l'infini sur ce thème.

Page de gauche
Dogmersfield Park, Hampshire, Grande-Bretagne.

Ci-contre
Crooked Pightle House, Hampshire, Grande-Bretagne.

Ci-dessus
Bibliothèque de Bordon, Hampshire, Grande-Bretagne (en collaboration avec Evans, Roberts & Partners).

Quinlan Terry

Certains soutiennent les thèses traditionnalistes à coups d'arguments vertueux, et citent à l'envi Aristote, Vitruve ou Pétrarque. Quinlan Terry prend ses adversaires à la gorge, en faisant valoir la désaffection du public à l'égard des constructions Modernes. Il entre d'emblée dans le vif du sujet, et demande pourquoi "les anciens matériaux résistent des siècles durant, alors que les nouveaux ne le font pas", ou pourquoi "les constructions du passé sont si agréables à l'œil, alors que les bâtiments modernes ne le sont pas". Pour lui, la réponse ne fait aucun doute ; désormais, nous devons choisir entre "les caprices de la société d'objets jetables, dont les structures éblouissantes de vaisseaux spatiaux épuisent nos ressources et ne laissent derrière elles qu'un tas d'ordures non-recyclables" et, d'autre part, les techniques et les matériaux de la tradition. Très souvent, Terry ajoute que ces matériaux sont à la fois plus écologiques, et plus proches de nos sensibilités. Nul doute que ses bâtiments aient plus de conviction que ses arguments ; et, si son architecture n'est pas du goût de tout le monde, elle fait preuve d'une maîtrise impressionnante dans tous les aspects de son art, y compris ceux de la surprise et de la mise en scène.

Page de gauche
Howard Building, Downing College, Cambridge, Grande-Bretagne.

Ci-contre
Dower House, Roydon , Grande-Bretagne.

Pages suivantes
Restructuration de Richmond Riverside, Richmond, Grande-Bretagne.

Richmond Riverside, l'ensemble des bords de la Tamise à Richmond, constitue le projet le plus ambitieux mis en œuvre par Quinlan Terry et témoigne de la complexité des problèmes que pose la réunion d'hôtels particuliers.

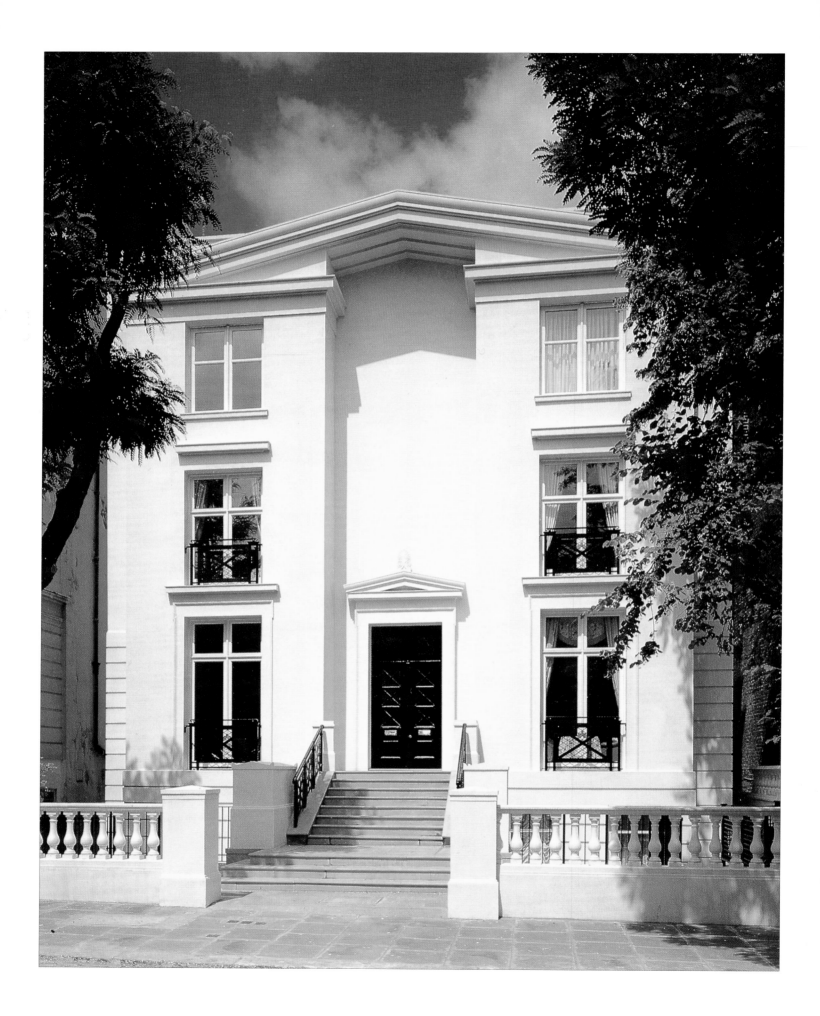

Demetri Porphyrios

Parmi les thèmes chers à Demetri Porphyrios, il en est un qui irrite particulièrement les tenants d'une architecture comparable à la haute couture ou aux *best-sellers* : celui selon lequel le classicisme *n'est pas un style*. Puisant à de multiples sources littéraires et historiques, Porphyrios montre que des éléments simples comme le fronton ou la colonne reflètent un savoir culturellement déterminé, et que le vocabulaire classique remonte aux origines de l'art de la construction.

Un second thème est celui de la *mimésis*, mot mystérieux qui est souvent traduit par "imitation", alors qu'il ne désigne pas une *réplique* mais une interprétation et donc une transformation du monde naturel. Si, pour Porphyrios, "il en va de même pour l'architecture que pour les arts en général, car ses principes s'inspirent de la nature, et toutes ses règles s'y retrouvent toujours", pour un public de plus en plus avide de la chose classique il faut s'en tenir à l'aphorisme quelque peu réducteur : "l'art doit imiter la nature". En soulignant que l'imitation requiert une lecture critique, non seulement du monde naturel, mais aussi des édifices qui s'y trouvent, Porphyrios autorise à penser que chaque génération doit redécouvrir la validité des conventions classiques, au lieu d'en être les "vils copistes".

Le thème le plus polémique de son œuvre, c'est celui du caractère du lien qui unit l'architecture et l'art. Mais aujourd'hui, il n'y a plus de conflit entre convention et transformation. Ainsi, nos choix esthétiques se font-ils selon le critère de la pertinence, qui est toujours socialement déterminé.

Le style classique transcende toutes les modes. Il n'est donc pas lié à une question de goût et fournit un cadre d'une élégance intemporelle à un mode de vie plein de sérénité.

Page de gauche, ci-contre et ci-dessus
Maison d'habitation, Chepstow Villas, Londres, Grande-Bretagne.

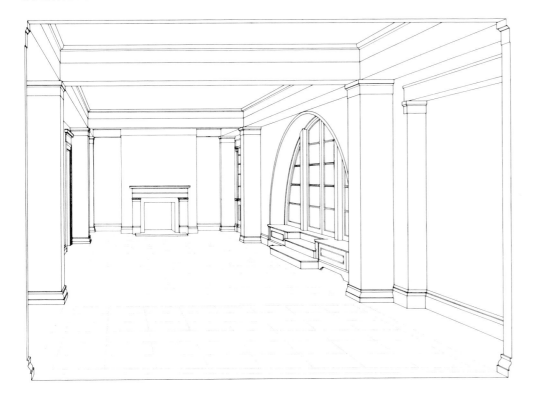

Aldo Rossi

Peu d'architectes ont une opinion aussi tranchée sur ce qu'il faudrait faire pour empêcher la destruction du contexte traditionnel des villes européennes, qu'Aldo Rossi. Dans son *Architettura della Città* (1966), il passe en revue tous les aspects du problème, y compris le rôle-clé de la *typologie* dans la restructuration du tissu urbain. Ayant défini le type comme "quelque chose qui est à la fois permanent et complexe, un principe logique antérieur à la forme, et qui la constitue", Rossi procède à une série d'affinements de cette proposition, remarquant que le type n'est pas un modèle qu'il faille copier à l'infini, mais plutôt un principe structurant de l'architecture : "La typologie est l'étude de types d'éléments indivisibles et irréductibles de la ville comme de l'architecture". En outre, il analyse le rôle joué par les monuments dans le développement continu des villes, citant les "permanences" ou les "persistances" de Poëte et de Lavadant avant d'en arriver à une distinction critique entre ce qu'il appelle les éléments "moteurs" et "pathologiques" de la forme urbaine. Ainsi, le temple romain de Jupiter à Damas, qui, par la suite, sera l'un des monuments-clés de l'Islam, peut-il être considéré comme un moteur de la ville, alors que les jardins de l'Alhambra sont des éléments pathologiques et non-régénérateurs, à Grenade.

Rossi reconnaît que, compte tenu des forces inexorables du changement, la ville post-industrielle subit des pressions complètement nouvelles. En soulignant le pouvoir régénérateur des éléments moteurs, Rossi encourage ceux qui se soucient des blessures de la ville à se consacrer au sauvetage de ses monuments, l'alternative étant de les abandonner complètement, et d'en faire autant de musées d'un mode d'existence à jamais perdu.

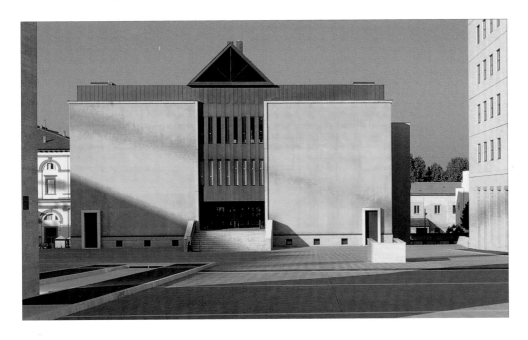

De même que le peintre Giorgio De Chirico, Aldo Rossi s'efforce de créer un monde silencieux et désert, où son architecture constitue une force permanente et régénératrice.

Page de gauche et ci-contre
Centre administratif, Pérouse, Italie.

Page de gauche
Ossuaire du cimetière, Modène, Italie.

A gauche et ci-dessus
Ensemble d'habitation de la Friedrichstrasse,
Berlin, Allemagne.

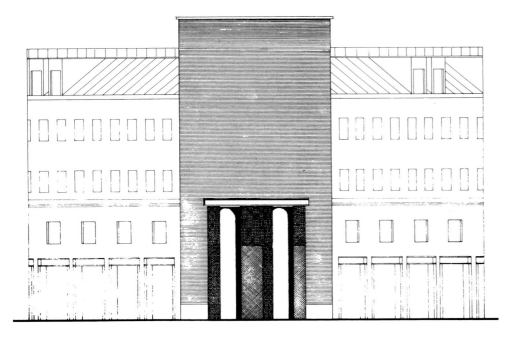

Certains types d'arcades, d'accès ou de porches se voient inclure dans des constructions à destinations diverses, afin d'étudier leurs possibilités et les améliorer.

Page de gauche, ci-contre et ci-dessus
Casa Aurora, Turin, Italie.

39

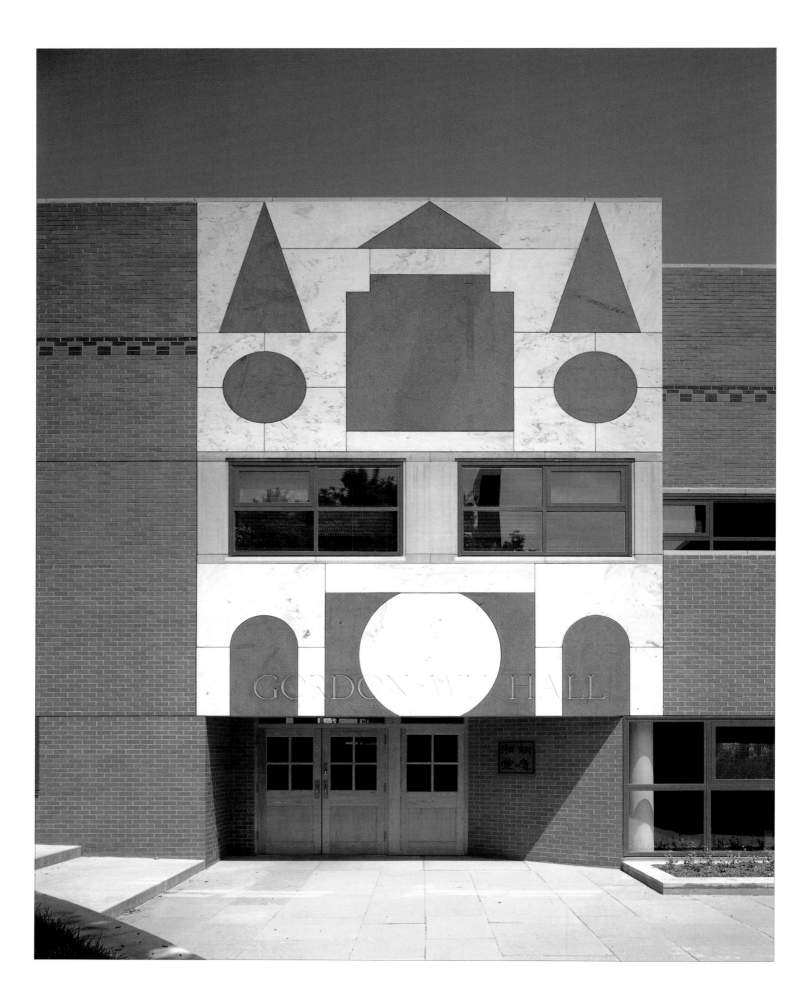

Le classicisme nouveau et ses règles

Depuis la fin des années soixante-dix, le post-modernisme est entré dans une phase qui se caractérise par un traitement libre (et non "canonique") du vocabulaire de la tradition. Certains l'ont mal comprise. D'autres en critiquent ce qu'ils considèrent comme des errances et une licence excessive. Mais, comme toute évolution des formes culturelles bien établies, cette phase exige d'être appréhendée pour elle-même, selon les règles qu'elle s'efforce d'articuler. Il est vrai que ce classicisme "libre" partage avec d'autres renouveaux certains présupposés, par exemple ceux qui nous incitent à lier nos efforts au passé, et à nous servir soit des figures universelles de la représentation, soit des constantes d'un langage donné. La représentation du corps humain dans l'art, et l'emploi figuratif de la colonne dans l'architecture, sont deux exemples frappants de ces constantes, mais il serait facile d'identifier une vingtaine d'autres éléments et règles de composition comparables. Le classicisme nouveau a émergé en partie grâce au fait que ses représentants ont redécouvert la *nécessité* - le fait que, si les archétypes et les universels sont incontournables, autant les articuler ou les transformer en un art conscient de la représentation.

Les raisons de l'émergence d'un style hybride sont variables, mais elles nous obligent toutes à voir le passé avec des yeux nouveaux, et à redécouvrir un fait qui a échappé à toute discussion de l'architecture classique, à savoir que ses racines sont égyptiennes autant que grecques et romaines. Les Egyptiens ont inventé la plupart des éléments de l'architecture de pierre et les règles de leur combinaison syntaxique ; ils pratiquèrent un mode à la fois hybride et symbolique qui semble directement lié à celui que nous trouvons aujourd'hui. La persistance de ce mode provient de l'idée que le langage classique est celui de *toutes* les générations, et que son évolution est le reflet d'un objectif commun. Les artistes et les architectes qui se penchent sur des problèmes d'archétypes, en arrivent tout naturellement à des solutions comparables, et, dans ce sens, l'Histoire fait figure d'un *continuum* qui, sur le plan culturel, peut même s'avérer réversible.

Le continuum historique réversible

Les renouveaux du classicisme ont souvent été accompagnés d'un testament personnel, ou de l'histoire d'un projet collectif. D'ailleurs, c'est cette articulation d'un engagement personnel et d'une auto-révélation qui en constitue l'un des aspects les plus surprenants. C'est particulièrement vrai de la Renaissance, où, comme son nom l'indique, la préoccupation d'un renouveau spirituel fut grande. L'architecte et sculpteur italien Filarete décrivait, en 1460, l'expérience caractéristique de la

Venturi, Rauch et Scott-Brown : Gordon Wu dining hall, Princeton, Etats-Unis.

41

conversion de la manière la plus naturelle, en usant de la métaphore de l'éveil personnel et spirituel :

"Moi aussi, j'aimais les édifices modernes (c'est-à-dire gothiques), mais lorsque j'ai commencé à aimer les bâtiments classiques, j'en suis venu à être dégoûté des premiers (...) Ayant entendu dire que les gens de Florence avaient commencé dans cette manière classique *(a questi modi antichi)* je me suis décidé à m'y associer (...) et dès que je les ai fréquentés, ils m'ont réveillé de sorte que je ne pouvais plus produire la moindre chose qu'à la manière classique (...) Il me semble voir, seigneur, dans les structures construites selon les *modi antichi*, les édifices nobles qui existaient à Rome à l'époque classique et ceux qui, comme nous le savons par les livres, existaient en Egypte. J'ai l'impression de renaître en voyant ces édifices nobles, qui me paraissent encore beaux (1)."

Le ton employé par Filarete est intimiste - c'est celui de la confession. Comme le signale Erwin Panofsky, la renaissance du classicisme est liée à un "réveil" personnel - "restauration", "rinascità", "résurrection" ou "seconde naissance". Ce qui, au fond, renvoie à l'Évangile selon saint Jean : "A moins qu'un homme renaisse, il ne pourra voir le royaume de Dieu". Le chrétien trouve ainsi son homologue dans le classiciste "réincarné". Les implications, de ce fait, ne sont pas sans intérêt. Lorsqu'un architecte ou un peintre perçoit la tradition occidentale comme *une alternative vivante* à la notion moderniste de la "tradition du nouveau", et s'avise qu'il peut y poser sa propre pierre, il peut en effet ressentir une re-naissance semblable à celle du chrétien. C'est cette idée qui est commune à un certain nombre d'architectes, d'artistes et de peintres actuels. La découverte fait figure de révélation personnelle dans la mesure où elle est *consciente* : au lieu de n'y voir qu'une série illimitée de formes et de motifs, l'architecte et le peintre perçoivent la tradition classique soudainement comme une idée vivante. Et cette prise de conscience a valeur de défi personnel.

Encore une fois, les témoignages de la Renaissance italienne font ressortir ce défi. "De retour de mon exil", écrit Alberti dans la préface de son *Della Pittura* (1435), "je reconnus chez beaucoup (d'artistes), mais d'abord en toi, Filippo (Brunelleschi), en ce très bon ami à nous, le sculpteur Donato, et en Masaccio, une aptitude à entreprendre qui n'est nullement inférieure à celle de nos célèbres Anciens...."(2). Ainsi, en les appelant par leur prénom, Alberti conjure ses amis de défier les Anciens de manière à ressusciter non seulement les artistes défunts, mais encore les vivants.

Placer les Modernes au niveau des Anciens, suscite deux phénomènes. D'abord, le cours du temps peut se renverser, et les personnages de l'Histoire deviennent des contemporains. Deuxièmement, cette égalité entre les anciens et les nouveaux mène, dans un premier temps, à des comparaisons exhaustives (comme ce fut le cas au XVIIe siècle), et dans un second, à une tentative d'identifier les gagnants et les perdants de la course aux formes idéales. La célèbre querelle entre les Anciens et les Modernes qui déchire l'Académie française, au cours des années 1670, donnera lieu plus tard à une "bataille des styles" entre modernistes de tous bords, bataille qui continue de faire rage aujourd'hui. Mais il faut garder à l'esprit l'aspect positif de cette lutte d'influence - la notion que la tradition classique représente un continuum, un tout vivant.

Il s'agit d'abord d'un constat : chaque génération assimile les valeurs et solutions formelles du passé, qu'elle transmet à son tour aux générations futures. D'où la notion de pedigree (ou d'ascendance) qui fait toujours partie du discours classique. D'où également les disputes sur ce qui est ou n'est pas admissible. Quelles sont les origines de ces formes, qui les a mises au point, et quelle est leur signification historique ? Le classicisme est toujours lié à une conscience historique dramatisée. Les Grecs connaissaient bien l'Egypte, et nous pouvons qualifier leur transformation de l'architecture égyptienne de "néo-classicisme premier". Et, comme nous le révèle Filarete, la Renaissance, elle aussi, a reconnu sa dette envers l'Egypte.

L'idée d'une communauté artistique en continuité fait que certains auteurs du XXe siècle ont repris à leur compte les formulations extrêmes de T. S. Eliot, poète "moderne" qui se considérait comme un classiciste. Eliot tenait la tradition occidentale pour un continuum organique - une entité vivante et réversible dont le *passé* pouvait être modifié par l'introduction d'un nouveau maillon dans la chaîne. Cette idée puissante n'a pas manqué de modifier nos perceptions de la tradition classique, et de sa dépendance à l'égard de l'innovation véritable.

La tradition a une signification beaucoup plus large. Elle ne peut être héritée, et même si vous la convoitez, vous ne l'obtiendrez qu'à force de labeurs acharnés. Elle implique d'abord un sens de l'Histoire... qui oblige un homme à écrire non seulement avec sa propre génération dans les os, mais avec le sentiment que la totalité des littératures européennes depuis Homère, y compris la littérature de son pays, possède une identité globale et constitue un cadre de référence spécifique à un moment donné de l'Histoire (...) Aucun poète, aucun artiste n'a de sens à lui tout seul. Ses significations, ses appréciations sont celles de ses liens avec les poètes et les artistes morts. Et il est impossible de l'évaluer en tant qu'individu isolé : il faut le placer, à titre de contraste et de comparaison, parmi les morts (...) Ce qui se passe lorsqu'une œuvre d'art est créée, est ce qui arrive *en même temps* à toutes les œuvres qui l'ont précédée. Les monuments existants constituent un ordre idéal entre eux, qui se trouve modifié par l'introduction d'une œuvre nouvelle. L'ordre existant est complet avant l'arrivée de l'œuvre nouvelle, mais, afin que cet ordre survive à son avènement, c'est tout l'ordre existant qui doit se trouver modifié, ne serait-ce que de manière infime. Ainsi, les relations, proportions et valeurs de chaque œuvre d'art s'ajustent par rapport à celles de toutes les autres, et ceci constitue la conformité

Temple de la reine Hatsheput, vers 1500 av. J.-C., Deir el Bahari, Egypte.

43

entre l'ancien et le nouveau. Quiconque a approuvé cette notion d'ordre, ne trouvera guère ridicule l'idée que le passé puisse être modifié par le présent autant que le présent par le passé...(3).

La tradition "organique" agit au niveau métaphorique et perceptif : notre vision du passé se trouve bel et bien modifiée par des créations et des interprétations nouvelles. Dans ce sens, s'il est raisonnable de parler d'un continuum (soit de la survie d'artistes morts), cette immortalité culturelle peut susciter une révélation personnelle. Mis à part les témoignages de Filarete et d'Alberti, il existe des cas d'auteurs modernes qui découvrent l'Histoire et les rapports que leurs contemporains peuvent entretenir avec elle. Les exemples sont légion, et comprennent non seulement les "néo-"classiques réincarnés, dont l'inspiration subite est la plus frappante, mais aussi les "survivants" engagés, défenseurs de la foi, dont les idéaux n'ont rien perdu de leur ardeur.

L'historien E. H. Gombrich a tenté de formuler un credo pour des survivants comme lui - héritiers de la tradition occidentale. Gombrich reconnaît d'abord que "la tradition de la connaissance générale" est une figure idéale plutôt que réelle : les événements et les acteurs du continuum sont trop nombreux pour être connus, même par un spécialiste. Aussi faut-il adopter une autre stratégie, celle de l'Eglise :

La tradition classique n'a pu survivre à l'âge des ténèbres que grâce à quelques ecclésiastiques savants, tel Isidore de Séville, qui n'hésitaient pas à rédiger de simples condensés des quelques idées sur l'univers et sur le passé qu'ils tenaient pour indispensables : "J'ai depuis peu l'idée d'un credo séculaire, aussi bref et concis, si nous pouvons le forger, que le credo athanasien... c'est avec une certain exaltation que je vous soumets le premier brouillon d'un tel credo" (...) J'appartiens à la civilisation occidentale, née en Grèce au cours du premier millénaire avant Jésus-Christ. Elle fut créée par les poètes, philosophes, artistes, historiens et scientifiques qui étudiaient librement les mythes et les traditions antérieurs de l'Orient. Elle fleurit à Athènes au Ve siècle, et fut portée vers l'Orient par les conquêtes macédoniennes du IVe...(4)"

Gombrich énumère alors les transformations de la tradition classique dans un récit qu'il qualifie lui-même de "biaisé, subjectif et sélectif" mais qui est non moins pertinent dans ce qu'il entend démontrer et inclure. Si l'on devait le modifier, dit-il, ce serait par des ajouts au début et à la fin - la culture égyptienne et "l'expérience" moderniste brillent en effet par leur absence.

L'idée du continuum a trouvé une expression artistique à des époques diverses, et notamment au cours des périodes de renouveau, lorsqu'une conscience aiguë du passé se conjuguait à un sentiment de créativité imminente. *L'Ecole d'Athènes* de Raphaël, ce *locus classicus* du classicisme, est sans doute la version la mieux connue d'une histoire réversible (5). Dans ce tableau, passé et présent s'imbriquent de manière picturale et symbolique, comme si tous les temps étaient figurés au même instant. L'effondrement du temps et de l'espace devient ainsi une image frappante de la continuité des traditions, où le passé vit dans le présent et le second fait renaître le premier.

Sur les frises du monument au prince Albert, à Londres, dû à l'architecte Gilbert Scott, la culture occidentale est perçue comme une évolution hiérarchisée : la notion de qualité et de valeur se fond dans un récit plus neutre, de sorte qu'un artiste cède la place à un autre de manière polémique et logique. Ici, un certain optimisme règne : Shakespeare se trouve à côté d'Homère et, sur un autre panneau, les architectes du XIXe côtoient leurs prédécesseurs illustres. Ce défi lancé au passé par le présent est caractéristique de l'orgueil démesuré de la culture contemporaine, et découle directement d'une vision du passé et du présent comme un tout. Après tout, si les deux font partie du continuum, les Modernes peuvent très bien assimiler et dépasser les Anciens dans la qualité et l'expertise - pourvu que celles-ci soient étroitement cernées.

Quelle que soit la nature de notre vision de la culture occidentale, la notion même de continuum reste d'une importance capitale. Dans la mesure où le classicisme est vivant, il fait l'objet d'interprétations controversées et suscite des valeurs contradictoires. L'œuvre subversive de l'artiste contemporain, Robert Longo (6), par exemple, si elle échappe à toute définition canonique, fait néanmoins partie intégrante de la tradition en ce sens qu'elle applique des formes romaines aux mythes contemporains - en dépeignant la lutte pour survivre des employés des grandes sociétés. Les protagonistes du classicisme sont aussi incapables de s'entendre sur leurs articles de foi, que les politiciens sur l'essence de la démocratie. Mais le débat, fondamental pour la santé du classicisme, s'inspire d'une éthique tout aussi déterminante que celle des positions politiques ou sociales que l'on peut adopter. Toute tradition vivante doit remettre en question ses racines, surtout lorsqu'elles sont vénérables, ce qui implique un débat et une réévaluation continuels.

Les règles nouvelles

La nouvelle démarche est à la fois étrange et familière. Elle conjugue deux styles puristes - le classicisme canonique et le Modernisme - tout en y ajoutant des néologismes fondés sur les nouvelles technologies et pratiques sociales. Les règles de la bienséance et de la composition ne sont pas oubliées, mais prolongées et détournées. En effet, l'idée que l'on puisse travailler à l'intérieur d'un ensemble de règles, considérée comme anathème depuis l'époque romantique, suscite à présent toute une série de connotations nouvelles.

Aujourd'hui, les règles et les critères de production sont perçus comme autant de préalables à la création. Ceci renvoie en partie à l'avènement de l'ordinateur, qui tend à renforcer nos présuppositions quant aux procédés de construction. La recherche analytique y contribue également : désormais, les étudiants ont conscience du rôle des conventions dans des mouvements tels que le primitivisme ou l'expressionnisme. Le seul moyen d'échapper à un art régi par des règles doit refouler les critères qui sont à la base de la création - une maigre consolation. Il est pratiquement impossible de se passer des conventions du passé à une époque de communication et de théorisation incessantes. Aussi devons-nous prendre conscience des règles, et du sentiment d'ironie qui les accompagnent. Les préceptes suivants sont les plus significatifs :

1 - La plus évidente des conventions nouvelles se situe dans un cadre à la fois conceptuel et esthétique. A la place de l'harmonie de la Renaissance et de l'intégration Moderniste, on trouve en particulier chez les architectes et les artistes peintres une notion hybride de *beauté* ou d'*harmonie dissonantes*. Au lieu d'un ensemble parfaitement fini, "où rien ne peut être soustrait ou ajouté, sauf pour le pire" ainsi que l'assurait, à la Renaissance, Alberti, nous avons "le tout difficile" de Robert Venturi (7) et "l'unité fragmentée" de Hans Hollein (8) ou des Poirier (9). La revendication de la richesse et la complexité est comparable à la *difficultà* et à "l'adresse" des Maniéristes, mais les principes sociaux et métaphysiques qui la sous-tendent sont nouveaux. La société pluraliste trouve les harmonies simples soit fausses, soit peu intéressantes ; elle prône une juxtaposition de goûts et de philosophies, plus *réelle* à ses yeux que les vocabulaires intégrés du classicisme ou du modernisme de l'époque héroïque.

"L'harmonie dissonante" est également validée par le consensus qui règne actuellement entre les scientifiques, pour qui l'univers est en évolution dynamique. Jadis, les renouveaux classiques accompagnaient une "harmonie cosmique" supposée. Vitruve assimilait le corps "parfait" à l'ordre céleste, et justifiait l'ordre amélioré des temples par rapport à de tels présupposés. La Renaissance, avec ses bâtiments et ses sculptures proportionnés, reprenait ces équations entre le microcosme et le macrocosme. Aujourd'hui, nous sommes confrontés à une vision composite et fragmentée de l'univers newtonien/einsteinien, où plusieurs théories réclament notre attention, sans qu'aucune ne nous paraisse tout à fait plausible, complète ou harmonieuse. Le scientifique qui *écoute* les origines supposées de l'univers (celles du Big Bang qui, semble-t-il, résonnerait encore) ne parle plus guère de "l'harmonie des sphères" - "l'univers en explosion" convient sans doute mieux pour décrire les effets des supernovæ.

L'architecture et l'art sont condamnés à représenter cette vision de "l'harmonie dissonante", et il n'est guère surprenant de trouver, dans les œuvres post-modernes, d'innombrables paradoxes formels du genre "symétrie asymétrique", "proportion syncopée", "pureté fragmentée", "ensemble incomplet" ou encore "unité dissonante". En effet, la figure rhétorique de l'oxymore (ou paradoxe rapide) (10) est l'un des faits marquants du post-modernisme, et "l'harmonie dissonante" en constitue un trait esthétique, au même titre que le "tout organique" de l'architecture classique ou Moderne. Les bâtiments de l'architecte japonais Monta Mozuma contiennent des références fragmentaires à plusieurs systèmes métaphysiques antérieurs - bouddhiste, hindou, shintô, occidental. Mes propres tentatives en matière de symbolisme cosmique, en collaboration avec le peintre William Stok, associent la cosmologie du XXe siècle - *Big Bang*, galaxies et nébuleuses en évolution constante - aux conceptions traditionnelles de la moralité et à la notion du continuum, tout en reprenant les figurations classiques du ciel (sous forme de cercles et de spirales) et de la terre (par des carrés ou des rectangles) sur le plafond (*coelum*) et le plancher (*terra*).

2 - Une règle aussi puissante que celle de l'"harmonie dissonante", et qui la justifie, est celle du principe du *pluralisme* culturel et politique. Les post-modernistes des années soixante-dix ont proposé une multiplicité de styles, une célébration de la différence, "l'altérité", une hétérogénéité irréductible. En architecture, l'équivalent stylistique du pluralisme est *l'éclectisme radical* - un mélange de langages qui reflètent autant de cultures du goût, et qui évoquent chaque fonction distincte selon son ambiance appropriée.

L'extension de la Tate Gallery de Londres est sans doute l'œuvre la plus *divergente* que James Stirling ait accomplie à ce jour. Il s'agit d'un bâtiment qui change de surface au cours des rencontres avec son voisinage, et selon les usages dont il est le reflet. Il prolonge la corniche et une partie de la maçonnerie du corps classique du musée principal, alors qu'en approchant une structure pré-existante en briques, il "adopte" certains éléments de cette grammaire du rouge et du blanc. L'entrée principale se distingue des autres façades par une grille formelle, faite de fenêtres à meneaux vertes, que l'on retrouve dans un autre espace public, la nouvelle salle de lecture. Et, comme si tout cela ne suffisait pas pour articuler les changements d'ambiance et d'usage, la grammaire de la façade arrière est celle du "modernisme tardif", style qui convient parfaitement aux aires de service, alors que la façade latérale, plus neutre, est en harmonie avec l'arrière du musée. Cette hétérogénéité est "ressaisie" au moyen d'une grille-cadre qui s'apparente aux ordres classiques. Un mur fait de carrés, tels les pilastres de la Renaissance, réapparaît à plusieurs reprises, que ce soit à l'extérieur ou à l'intérieur, et constitue l'ordonnancement conceptuel du nouveau corps de bâtiment. Mais cette grille est dissonante, non harmonieuse : elle s'organise par quatre autour de l'entrée, s'accroche en fragments à la façade de la salle de lecture, et défile en ordre militaire sur une partie des façades latérales. Ainsi, les harmonies de la Renaissance se conjuguent aux collages modernistes, même dans la structure de base, qui est censée ramener les fragments vers une unité possible. Bien qu'un tel éclectisme puisse paraître quelque peu excessif dans le cas d'un édifice aussi modeste, il reflète bel et bien ses fonctions hétérogènes, comme par exemple l'accueil des groupes d'écoliers, pour lequel il a été plus particulièrement conçu. Stirling parle d'un "pavillon de jardin" attaché à une grande mai-

James Stirling et Michael Wilford : Clore Gallery, Londres, Grande-Bretagne.

son, ce qui explique son côté informel, le plan d'eau, les treillis et la pergola et souligne son éclectisme radical qui, à la différence de l'éclectisme faible - une affaire de caprice - renvoie à des fonctions et à des intentions symboliques extrêmement précises. Une autre raison de cette hétérogénéité est son rôle de support de communication - la notion qu'un vocabulaire éclectique s'ouvre à un large échantillon de la population - ce qui n'est pas inutile dans le cas d'une galerie de peinture.

L'allégorie énigmatique et le récit suggestif sont deux genres postmodernes qui s'efforcent de valoriser l'ambiguïté et, en ce sens, être le reflet d'une métaphysique ouverte, pluraliste. Lorsqu'on est confronté à plusieurs lectures simultanées, c'est le lecteur qui doit fournir le texte unificateur. En même temps, cela entraîne une certaine frustration - l'équivalent post-moderne du critère classique de la "gratification retenue". Et l'œuvre de Stirling *est* frustrante, dans la mesure où elle nous prive de toute signification hiérarchisée : c'est *ailleurs* qu'il faut chercher l'expression d'un point de vue unifié.

3 - L'objectif que partage la plupart des architectes post-modernes est celui de la *ville urbaine*, et la notion d'accompagnement *(contextualism)* qui en découle. Selon cette doctrine, tout bâtiment nouveau doit s'accorder au contexte urbain qu'il prolonge, reprendre des constantes typologiques telle la rue, l'arcade ou la place, et en même temps intégrer les technologies et les moyens de transport d'aujourd'hui. Cette double injonction légitime une règle nouvelle, aussi claire et aussi bien définie que n'importe quel principe du classicisme "canonique". Par ailleurs, certains, tel Léon Krier, prônent des relations optimalisées entre toutes les parties de la ville, et une pondération savante de ses ingrédients essentiels : public/privé, travail/loisirs, monument/tissu, îlot/trame, place revalorisée/logements en arrière-plan. Mais c'est un équilibre global, plutôt qu'un ensemble de dualités discrètes, qui est requis pour créer l'urbanité des *insulæ* romaines, de la ville traditionnelle de l'Europe du XVIIIe siècle, ou du village américain du XIXe. L'aménagement d'îlots à usage mixte et de taille modeste, constitue ici le prototype d'une vie conviviale. Les schémas de Krier, dont la hiérarchie des espaces et des fonctions ne laisse aucune place à l'ambiguïté, à l'ironie ou aux juxtapositions de deuxième degré, sont d'une grande clarté, ce qui explique à la fois leur puissance et leur arrière-goût de nostalgie. Le mode de vie urbain est tout simplement mieux adapté aux rapports sociaux que la ville centralisée et dissociée, comme nous pouvons l'apprécier dans le plan d'aménagement de l'agence Skidmore-Owings-Merrill, pour Boston.

4 - La figure post-moderne de *l'anthropomorphisme* est pratiquée comme une image subliminale, dont la lecture est inconsciente. Presque tous les classicistes nouveaux incorporent un ornement et un rythme de facade qui évoquent le corps humain. Dans *L'architecture de l'humanisme* (1914), Geoffrey Scott louait le classicisme pour avoir "inscrit dans la pierre les états favorables du corps". Comme le soulignait Michel-Ange, ses

Hans Hollein : Bureau de voyages autrichien, Vienne, Autriche.

profils pouvaient ressembler à ceux du visage humain, et sa masse sculptural, son jeu de clair-obscur, faire écho à ceux des muscles du corps. Une telle architecture humanise la forme inanimée, sur laquelle nous projetons naturellement notre physionomie et nos états d'âme. Ce genre de réponse emphatique est particulièrement bien adapté aux grands ensembles, ou à un contexte fondamentalement aliénant ou surchargé. Jeremy Dixon, Rob Krier, Hans Hollein, Cesar Pelli, Kazumasa Yamashita et Charles Moore ont développé cet anthropomorphisme dans leurs œuvres ; de même, Michael Graves et moi-même avons tenté de créer des représentations abstraites du corps humain. L'image peut être plus ou moins explicite, allant de l'évidente caryatide (ou hermès) aux figures cachées, et semble la plus réussie lorsqu'elle intègre ces deux extrêmes. A grande échelle, l'anthropomorphisme s'intègre au mieux avec d'autres motifs et significations, pour éviter une charge visuelle trop écrasante par exemple, la tête, les bras, la ceinture et les jambes de la Maison Thématique (11) sont à la fois des voûtes ou des fenêtres, et des éléments de l'anatomie humaine. La règle générale privilégie un anthropomorphisme subliminal, tout en prônant des détails et une ornementation plus explicites. A une époque où les architectes et les artistes ont souvent du mal à trouver un contenu légitime pour leurs œuvres, la figure humaine reste un point de départ valable.

Si l'idée du continuum historique a déclenché une véritable foule de projets parodiques, pastiches ou nostalgiques qui, pour les détracteurs du post-modernisme, en constituent le genre mineur, elle a également récupéré le concept d'*anamnèse*, ou remémoration par la suggestion. A notre époque, post-freudienne, l'inconscient est souvent invoqué comme moteur de cette anamnèse qui prend typiquement la forme d'une juxtaposition d'images semblables et contrastées entre elles. Les artistes français Anne et Patrick Poirier ont su exprimer cette logique du rêve dans leurs archéologies fragmentées, qui associent archétypes, mythes à moitié enfouis et paysages en miniature. Nous parcourons à leur suite des ruines à la recherche d'un rapport entre des feuilles de bronze, une flèche et une paire de lèvres noires. Bien que nous n'arrivions pas à nous saisir complètement du récit dont ces éléments sont peut-être les fragments constitutifs, nous sommes tout de même invités à en deviner le sens possible. Ici, l'allégorie énigmatique se sert d'une série de souvenirs discrets qui, au mieux, déclenche un simulacre de sens dont les connotations se conjuguent et s'harmonisent. C'est cette aura qui constitue le thème de ce genre paradoxal - un récit sans histoire. L'anamnèse, l'une des figures rhétoriques les plus anciennes, est ainsi devenue un objectif en soi.

5 - Le célèbre "retour à la peinture" du post-modernisme s'est accompagné d'un "retour au contenu". Ce contenu est aussi varié et aussi divergent que la société pluraliste qui l'a suscité. L'exposition *Content,* tenue au musée Hirschorn, à Washington, a témoigné de cette diversité, allant de l'autobiographie à la culture savante et populaire, de la critique sociale à la spéculation métaphysique, des représenta-

Charles Jencks et Terry Farrell : Maison Thématique, Londres, Grande-Bretagne.

tions de la nature à celles de la psyché (12). En même temps, des catégories plus traditionnelles comme la peinture narrative, le paysage ou la nature morte, ont apporté la preuve de leur vitalité par une série d'expositions sur le réalisme (13). Il est évident que nous ne trouverons aucun dénominateur commun, aucune cohérence, mythologie ou règle émergente dans cet amas hétérogène de genres, si ce n'est ce que le conservateur du musée Hirschorn a appelé "la volonté du sens". On peut affirmer pourtant que ce pluralisme a une *signification divergente* qui, à la manière de l'allégorie énigmatique, permet une multiplicité de lectures. Beaucoup de critiques post-modernistes ont souligné le rôle de l'inter- (ou méta-) textualité (soit la manière dont plusieurs textes discontinus se combinent pour faire sens) à la fois comme stratégie et comme réalité contemporaine. Ceci a suscité deux préceptes majeurs : *l'éclectisme radical* en architecture et, en art, le *récit suggestif*.

6 - Le facteur prédominant du post-modernisme est celui d'un *double codage* - la pratique de l'ironie, de l'ambiguïté et du paradoxe. L'ironie et l'ambiguïté constituent deux concepts-clé de la littérature moderne, et si les post-modernes continuent à employer ces figures et ces méthodes, ils les ont étendues aux champs de la peinture et de l'architecture. Le double-entendre et les *coincidentia oppositorum* renvoient en définitive à Héraclite et Nicolas de Cuse ; et, bien avant que Robert Venturi et Matthias Ungers ne formulent leur poétique du dualisme, un personnage de Strindberg incitait : "Au lieu de 'ou bien...ou bien', dites plutôt 'à la fois... et' !" (14)

Cette injonction hégélienne est désormais *la* méthode de l'aménagement de la ville. Charles Vandenhove, qui a hissé l'urbanisme au niveau d'un art subtil, pratique les fragments de plusieurs vocabulaires opposés pour recoudre le tissu de plusieurs villes belges. Il a rénové le quartier Hors-Château, à Liège, en maniant un ordre variable qui intègre le dualisme ancien/nouveau comme une marque voulue de la réconciliation. Sa réhabilitation, dans la même ville, de l'hôtel Torrentius, représente une compilation exquise d'éléments opposés qui peuvent se lire en même temps comme un fragment archéologique, comme de l'ornement sécessionniste, et comme une superposition de géométries abstraites ; les ironies et les juxtapositions sont minimisées pour mieux accentuer une harmonie faite d'éléments opposés ("à la fois...et"). Cette attitude envers le passé ressemble davantage aux mélanges de la Renaissance qu'aux collages du modernisme, et renvoie au continuum historique, si essentiel à la vision post-moderne. Les styles et les technologies actuels sont acceptés comme des réalités : il s'agit d'une cohabitation paisible et non d'un antagonisme.

Pour la façade nouvelle d'un musée d'arts décoratifs, Vandenhove a créé un nouvel ordre ionique très stylisé, dont les volutes, surdimensionnées, sont faites à partir de cercles concentriques ; mais la manière dont il réconcilie cette géométrie et celles du passé, souligne à la fois une continuité avec le passé et un présent spécifique. Ce double codage permet de lire le passé au présent et *vice versa*, comme si l'histoire procédait par évolution graduelle de formes permanentes plutôt que par succession de styles révolutionnaires, dont chacun oblitère le précédent. Le double codage peut, bien sûr, être utilisé pour souligner la disjonction, comme c'est le cas de Stirling et de Salle. Mais, quelle que soit la méthode de son déploiement, il ne peut qu'accentuer la validité simultanée de problématiques opposées.

7 - Lorsque plusieurs codes se superposent de manière cohérente, ils suscitent une autre qualité recherchée par les post-modernes : celle de la *polyvalence*. L'intégrité d'un édifice univalent, ou celle d'une œuvre d'art minimaliste, est généralement exclusive et auto-référentielle. L'œuvre polyvalente, par contre, déploie autour d'elle des références et des associations diverses. L'inclusion des alentours est délibérée et, lorsqu'elle est réussie, résonne comme un symbole. Cette résonance consiste en toute une série de formes, de couleurs et de thèmes qui sont reliés entre eux. L'idée, qui renvoie en définitive à la très vieille notion d'"unité organique", se fait relativement rare dans notre culture, où l'art et l'architecture ont tendance à rester distincts, l'art allant dans les musées, et l'architecture étant condamnée à des pratiques institutionnelles relativement limitées. Plus récemment, malgré les nombreux appels en faveur d'une collaboration, la création de commissions mixtes et quelques exemples concrets, les efforts des deux disciplines pour travailler de concert ont rarement donné autre chose qu'une sorte de juxtaposition de l'œuvre et de son environnement (15). Néanmoins, des artistes comme Eduardo Paolozzi ou Robert Graham, et des architectes comme Michael Graves et Cesar Pelli, ont cherché à travailler ensemble dès les premières phases d'un projet donné, afin de pouvoir modifier leur ouvrage à mesure qu'il progressait. En effet, la possibilité d'une rectification mutuelle du tir est la clé de la polyvalence. Ce n'est qu'en épuisant les différentes significations de l'œuvre, que l'art, l'architecture et l'activité quotidienne commencent à agir conjointement, formant ainsi une unité plus grande.

Frank Lloyd Wright aspirait à cette unité organique dans son œuvre, tout comme les *designers* de l'art nouveau, avec leur recherche du *Gesamtkunstwerk*. Les églises associent très souvent des fonctions à la fois symboliques et esthétiques, mais ce genre de programme mixte est relativement rare dans d'autres types de bâtiment. Le plaisir et l'avantage de la polyvalence sont d'abord ceux d'une réévaluation incessante, qui s'inspire des liens multiples entre l'œuvre et son contexte. Cette pluralité de sens est caractéristique non seulement du post-modernisme, mais plus généralement de tout art inclusif. Si l'œuvre résonne, elle ne cesse d'inspirer des lectures nouvelles.

8 - La pré-condition de cette résonance est un rapport complexe au passé car, sans souvenirs, sans associations, un bâtiment est pauvre de signification, comme le serait la copie fidèle d'un style passéiste. D'où l'accent mis par les post-modernes sur l'anamnèse, le continuum

Michael Graves : Centre civique de Portland, Oregon, Etats-Unis.

historique, et une autre règle déterminante, celle du déplacement des conventions, ou de la *tradition réinterprétée*. La plupart des discussions du post-modernisme tournent autour de ses "retours" multiples : à la peinture, à la figuration, à l'ornementation, au monumental, au confort, à l'anthropomorphisme. La liste est pratiquement inépuisable et tous ces retours exigent leur part d'invention pour éviter le mimétisme d'une simple réplique. Terry Farrell réinterprète la syntaxe et les couleurs du temple traditionnel pour son hangar à bateaux, à Henley, sur la Tamise. Ce "temple de la régate" est de toute évidence prétexte à utiliser des couleurs fortes, qui sont liées à la fois au site, et aux recherches sur la polychromie des temples grecs du XIXᵉ siècle. Les colonnes deviennent des pilastres géminés, la coupure du fronton s'étend jusqu'à l'eau pour fournir l'accès aux bateaux, et les acrotères deviennent des projecteurs. Le bleu dominant est également un signe évident de l'eau et du ciel, tout comme la modénature ondulée de la frise. Ainsi, une forme antique retrouve une signification et une justification nouvelles. Les proportions et l'aspect plat des détails, et la polychromie saturée, déroutent à première vue, comme tout déplacement de la tradition, et ce n'est qu'en leur reconnaissant une validité nouvelle que l'on parviendra à se débarrasser de l'impression de pastiche. C'est un aspect inéluctable de la réévaluation de la tradition, puisque la convention est affirmée et détournée en même temps.

9 - Une autre manière de renouveler les conventions du passé consiste à élaborer *des figures rhétoriques "nouvelles"*. A l'instar du Modernisme, et de tout mouvement historiciste, le post-modernisme se définit par les formules stylistiques qu'il réinvente ou réadapte. La mode et la fonction concourent toutes les deux à l'élaboration de ces figures, dont les plus importantes sont celles que nous avons évoquées ci-dessus : paradoxe, oxymore, ambiguïté, double codage, "harmonie dissonante", amplification, complexité et contradiction, ironie, citation éclectique ou fragmentaire, anamnèse, anastrophe, chiasme, ellipse, élision, érosion. Charles Moore s'est servi des trois dernières figures afin de créer un style personnalisé, par exemple en érodant une voûte ou une série de voûtes classiques pour créer un espace fait de couches superposées, proche de l'esprit du baroque. Mais alors que ces formes traditionnelles étaient en pierre de taille, Moore les a construites en bois et en stuc, moins chers et plus légers. Inévitablement, certains détracteurs ont critiqué cette architecture scénographique, dans la mesure où elle se dégrade très rapidement. Il n'empêche que cette innovation n'est pas sans avantages : "l'architecture de carton" permet de nouvelles expériences spatiales, de nouvelles techniques pour joindre deux surfaces minces, créant ainsi l'effet d'un enjambement, soit celui d'une structure homogène et continue. A Sammis Hall, par exemple, les voûtes découpées sont suspendues par des clefs de voûte et, sur les côtés, s'attachent à des serliennes érodées, créant un espace magique, diaphane, au travers

Terry Farrell : Hangar de bateaux, Henley, Grande-Bretagne.

duquel la lumière se déverse et rebondit. L'ambiguïté et l'accumulation des références dans cette œuvre évoquent les dômes baroques de Vittone, mais son caractère inconsistant, éthéré, est tout à fait actuel. Au-delà des motivations d'ordre économique, il existe une explication psychologique à la prépondérance de ces érosions - elles correspondent au goût pour les figures et les formes classiques *incomplètes*, pour une formalité informelle. Dans la mesure où ces érosions marquent un retour à l'humanisme, mais sans la métaphysique confiante qui le soutenait à la Renaissance, elles ont trait à un sentiment de perte qui constitue le thème récurrent du post-modernisme : la "présence de l'absence", telle qu'on la perçoit au cœur du centre civique de Tsukuba,.au Japon.

10 - Ce *retour du centre absent* est l'une des figures privilégiées du post-modernisme. Arata Isozaki s'en sert pour commenter la nature décentrée de la vie japonaise ; Stirling le pratique sans ambages à Stuttgart ; il est abordé par Graves dans son bâtiment Humana, à Louisville, au Kentucky, par Bofill, à Montpellier, et par pratiquement tous les post-modernes qui créent un plan centré mais ne savent pas quoi mettre à la place d'honneur. Ce paradoxe est à la fois surprenant et révélateur : il existe un désir d'espace communautaire, la célébration parfaitement valable de ce que nous partageons - et puis, l'aveu qu'il n'y a rien qui soit tout à fait apte à le remplir.

Cela renvoie sans doute au sentiment de perte de nos racines, qui sous-tend tant de démarches caractérisées par le préfixe "post ". En revenant à son utilisation première par Arnold Toynbee et autres, au cours des années quarante et cinquante, nous découvrons cette même connotation mélancolique. A l'époque, le terme s'employait dans le sens de post-occidental, post-chrétien, pour parler d'une culture qui avait un point de départ mais pas de destination ostensible. Cette ambivalence est significative dans la mesure où, bien sûr, le terme voulait également *toujours* dire moderne, *encore* chrétien - ce qui est bien le signe que nos racines et nos valeurs culturelles renvoient aux pratiques quotidiennes, aux lois et au langage, qui ne sauraient disparaître dans une, deux, voire cinq générations. De même, les termes de "post-industriel" ou de "post-marxiste" sous-entendent autant la survivance de modèles pré-existants que leur dépassement. Une société post-industrielle est toujours tributaire de son industrie, même si son économie et son infrastructure politique sont passées à un autre niveau d'organisation, celui des ordinateurs, de l'échange d'informations et d'une économie basée sur le secteur tertiaire. En fait, le terme de "post-" constitue le reflet d'un état de transition double, où l'on quitte un point connu en reconnaissant ce déplacement, quoique l'on garde une trace ou une image du point quitté. Il peut signaler l'idéalisation du point de départ, à travers la nostalgie ou la mélancolie, mais il peut également exulter de la liberté nouvellement gagnée et du sens de l'aventure retrouvé. Dans ce sens, le post-modernisme est bel et bien schizophrénique dans ses rapports au passé : il souhaite garder certains aspects du passé, tout en avançant vers l'avenir, il se préoccupe de ses retrouvailles avec la tradition, tout en voulant échapper aux formules moribondes du passé. Il s'agit, en fait, d'un mélange de la Renaissance et du Futurisme - même si les post-modernes sont plutôt pessimistes à propos des perspectives du salut, qu'il s'agisse de la technologie, d'une société sans classe, d'une méritocratie ou de l'organisation rationnelle de l'économie mondiale, c'est-à-dire, les réponses qui ont pu être proposées depuis un siècle. Comme le souligne Jean-François Lyotard, les "grands récits" ont perdu leur valeur de certitude, même s'ils demeurent désirables sur le plan local. L'ambiance qui règne à bord du navire post-moderne est celle d'un équipage espagnol et italien à la recherche des Indes, et qui, avec un peu de chance, découvrira l'Amérique ; un équipage rongé par le mal du pays à cause du bagage culturel qu'il a emporté avec lui, mais qui exulte néanmoins de disposer d'une liberté nouvelle, et attend avec impatience les découvertes à venir.

On trouverait sans doute davantage de valeurs fondatrices de l'architecture post-moderne que celles que j'ai signalées ; de plus, ces mêmes valeurs sont en évolution constante. Comme c'est le cas de tout mouvement d'envergure, ses valeurs et ses motivations sont en partie incohérentes. En dépit de tout, les critères émergents de cette troisième phase du post-modernisme, celle du classicisme nouveau, commencent à retrouver une forme et une direction identifiable, et l'on peut penser que les bâtiments de l'année à venir seront plus élaborés encore que ceux de l'année dernière. Les réglementations de la construction en milieu urbain évoluent dans un sens positif, à mesure que l'architecte et son client prennent conscience du "contexte" ; et l'art, grâce à ses "retours", est devenu à la fois plus riche et plus accessible. Pourtant, les règles ne donneront pas forcément des chefs d'œuvre - au contraire, elles peuvent mener très vite à l'impasse, au déséquilibre et aux problèmes urbains. D'où notre réserve par rapport aux orthodoxies, et en même temps notre désir de les garder comme les préalables de la création ; notre tendance à promouvoir des règles, tout en passant outre. Nous sommes encore au début de la phase classique de l'architecture post-moderne, qui date de la fin des années soixante-dix, et, bien qu'il soit impossible de prévoir son avenir, elle va certainement prendre encore de l'épaisseur à mesure qu'elle assimile le passé récent et plus distant, et qu'elle nourrit la tradition occidentale de l'humanisme. Le monde moderne qui, en tant que réalité sociale, politique et économique, s'appuie sur la Renaissance, est fait désormais d'un marché économique et financier complexe et continu. Nos communications, notre savoir et nos méthodes de fabrication font que les styles, à défaut d'être tous plausibles, sont possibles. Plus qu'au XIXe siècle, époque de l'éclectisme par excellence, nous disposons de la liberté de choisir et de perfectionner nos conventions ; et ce choix nous oblige à regarder à la fois à l'intérieur et à l'extérieur de nous-même. En réponse à la prédication Moderniste et à celle de W. B. Yeats qui écrivait, "Les choses se disloquent ; le centre ne peut tenir", nous avons la réponse dialectique : "Les choses se ressemblent ; il n'y a pas de centre, il n'y a plus que des rapports". Ou pour citer E. M. Forster : "La liaison, faites simplement la liaison".

Charles Jencks

(1) Antonio Filarete, *Traktat über die Baukunst*, herausgegeben von W von Öttingen, Vienne, 1890, IX, p. 291 ; cité par Erwin Panofsky, *Renaissance and Renascences in Western Art*, Londres, 1960.
(2) Léon Baptiste Alberti (1404-1472) était un humaniste et un architecte d'origine florentine. Il a étudié à Venise et à Padoue, suivi des cours de droit à Bologne, et s'est passionné pour les mathématiques et la physique. Parmi ses traités, ceux qui ont eu l'influence la plus profonde sont *Della Pittura* (1436) et *De re aedificatoria* (1485), tenu pour l'art de la Cité et inspiré par Vitruve, un architecte romain du 1er siècle.
(3) T. S. Eliot, "Tradition and the Individual Talent', *The Sacred Wood*, Londres, 1920, pp. 49-50.
(4) E. H. Gombrich, "The Tradition of General Knowledge", *Ideas and Idols*, Oxford, Phaidon Press, 1979, pp. 21-22.
(5) Pour une discussion de *L'École d'Athènes* de Raphaël, voir Michael Greenhalgh, *The Classical Tradition in Art*, Londres, 1978, pp. 15-17.
(6) Robert Longo, né en 1953, est à la fois peintre et sculpteur. Excellent dessinateur, il utilise tous les matériaux. Il s'est fait connaître à New York vers 1975, avec des œuvres toujours plus monumentales, à forte résonance politique. Il s'est inspiré, entre autres, de films de Fassbinder et représente, à partir de montages photographiques, des hommes et des femmes en costume moderne, issus de milieux urbains, saisis par l'angoisse, la tentation du suicide ou les glaces, ou bien encore frappés par des balles.
(7) Robert Venturi est né à Philadelphie et a fait ses études à l'université de Princeton. Prix de Rome d'architecture, il a séjourné dans la capitale italienne de 1954 à 1956, puis de nouveau, en 1966. Il a travaillé pour Louis Kahn et Eero Saarinen, puis enseigné à l'université de Yale. (Voir le post-modernisme).
(8) Hans Hollein a créé une célèbre agence de voyage, à Vienne, en 1976-1978, qui constitue une véritable compilation artistique : colonnes brisées, palmiers métalliques, drapeaux en albâtre. (Voir le post-modernisme).
(9) Annie et Patrick Poirier sont des "artistes-archéologues", qui ont consacré un livre à la "Domus Aurea", la maison dorée de Rome. Il s'agit d'une villa ruinée, sur le terrain de laquelle on pénètre par une *Bocca negra,* la bouche noire d'un masque grimaçant. Cette exploration leur a inspiré de nombreux projets, dont celui d'une bibliothèque… noire.
(10) La réthorique qui demande un esprit agile et pénétrant. D'où la coordination rapide de deux contraires.
(11) La propre maison de Charles Jenks, à Londres (note du traducteur).
(12) Content, *A Contemporary Focus, 1974-1984*, musée Hirschorn, Washington DC, 4-6 janvier 1985.
(13) Pour une discussion de la peinture réaliste d'aujourd'hui, voir Frank Goodyear, *Contemporary American Realism since 1960*, Boston, 1981.
(14) Le dualisme de Strindberg est traité par James McFarlane dans "The Mind of Modernism" in *Modernism 1890-1930*, Harmondsworth, 1976, p. 88.
(15) Pour les récentes conférences, expositions et commissions impliquant la collaboration entre artistes et architectes, voir *Collaboration*, Londres, Architectural Press.

A propos de l'architecture moderne

L'architecture moderne a-t-elle vraiment échoué ? Ne serait-elle pas pultôt le bouc émissaire d'un autre échec que l'architecte ne saurait maîtriser ? Il s'agit plutôt d'un défaut de la vision morale d'une société en transition. Nous avons perdu ce que les sociologues appellent nos "systèmes de croyance" - les convictions qui guident nos actes et nos aspirations, sans lesquelles aucune société ne peut fonctionner.

Ces systèmes de croyance étaient tout à fait extraordinaires. De 1918 aux années soixante, nous avons soutenu la justice sociale, la perfectibilité de l'homme et de son univers, et la bonne vie. Le Bauhaus nous a appris que la machine allait mettre la beauté et l'utilité à la portée de tous. Nous pensions pouvoir nourrir et loger le monde entier et mettre de l'ordre dans les villes.

Nous pensions que chacun avait droit à la beauté, et que l'esthétique était une forme d'éthique. L'utile était beau et bon, et ce qui était bon, l'était pour tous... Les architectes croyaient sincèrement que la santé et le bonheur étaient les corollaires naturels de la construction intègre. L'architecte devait jouer un rôle essentiel dans l'apport de nouvelles solutions esthétiques et sociales.

Rétrospectivement, on peut dire que si les aspirations du siècle étaient naïves, elles étaient aussi profondément humanitaires. Les pays avancés n'ont sans doute jamais été aussi proches d'une civilisation véritable, si par ce terme, nous entendons le souci désintéressé d'améliorer la condition humaine...

Aujourd'hui, les architectes redécouvrent le parapluie. Ayant rompu le carcan d'une esthétique réductrice, ils sont éblouis par des possibilités techniques qui remontent à la nuit des temps. La vieille génération dénonce ces directions nouvelles comme hérétiques, mais les jeunes y voient la réouverture des frontières du projet. Quoi qu'il en soit, les éléments de l'architecture se transmuent en combinaisons nouvelles. La démarche est partout résolument intellectuelle.

Mais tout cela participe de quelque chose de plus profond : la quête du sens, le souci de rétablir les liens rompus entre l'architecture et l'expérience humaine, de la replacer dans son contexte social. Il ne suffit plus de créer des lieux de travail ou d'habitation qui soient sûrs et sains, il faut rechercher la qualité de la vie. Cette ambition est au moins aussi vaste que celle des premiers Modernes ; il se peut que ce soit aussi un piège. Toujours est-il que nous assistons à un juste retour des idées. L'architecture sort de l'abri, de l'immobilier et des bonnes intentions. Il est admis que c'est l'extraordinaire mélange du pragmatique et du spirituel qui laisse une trace tangible des accomplissements de l'homme, la marque durable de sa quête de civilisation.

Ada Louise Huxtable

Richard Meier

C'est en 1957 que Richard Meier établit son agence à New York. Peu après, son projet pour la maison Smith, à Darien, dans le Connectitut, lui vaudra une renommée internationale en qualité d'interprète talentueux des célèbres "cinq points" de Le Corbusier (pilotis, façade libre, plan libre, fenêtres en bande, toit-terrasse). Ainsi qu'il le souligne :

"Même si nous nous réclamons du mouvement Moderne, la technologie ne peut plus être le seul contenu de l'architecture, n'étant que l'un de ses moyens. Je voudrais faire reculer les frontières plastiques de la modernité, en y associant la notion de beauté façonnée par la lumière. Je travaille volumes et surfaces, mouvement et arrêt, changements d'échelle et de vue."

Depuis le début de sa carrière, Meier se voue de manière cohérente et novatrice, à cette quête du "lyrisme spatial" preuve s'il en est de la versatilité du vocabulaire formel qu'il a fait sien. De même que chez les premiers maîtres du mouvement Moderne, c'est l'espace qui joue un rôle moteur dans ses bâtiments, et qui suscite un écho chez l'usager. Ses "promenades architecturales" sont à la fois mûrement réfléchies et variées, et son penchant pour l'éclairage naturel en tant que moyen de mise en valeur des volumes internes, relève de la meilleure tradition du style international. Pourtant, Meier réussit toujours à inscrire la marque de sa propre personnalité.

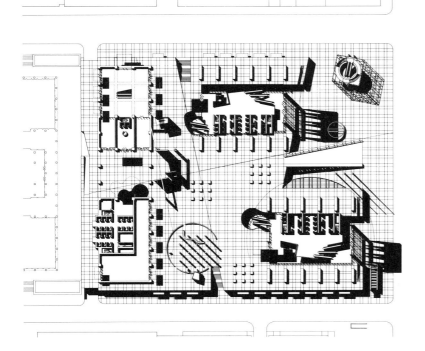

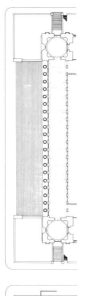

Meier n'a pas dessiné beaucoup de tours, mais chaque fois que l'occasion lui en a été offerte, il a su faire preuve d'imagination et renouvelé une typologie difficile.

Page de gauche et ci-contre
Projet de tours à Madison Square Garden, New York, Etats-Unis.

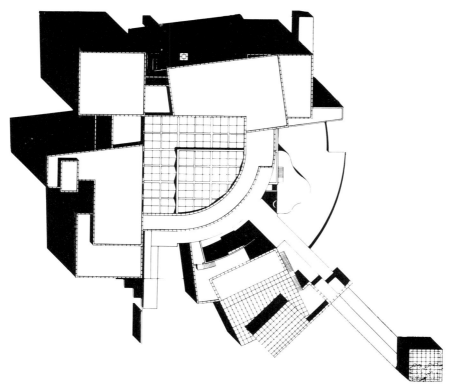

La forme curvilinéaire du musée d'Atlanta est un hommage rendu au musée Guggenheim, conçu par Frank Lloyd Wright, et les déambulatoires qui rythment l'espace d'exposition sont les principaux générateurs de la forme.

Ci-dessus et à gauche
Grand musée d'art, Atlanta, Etats-Unis.

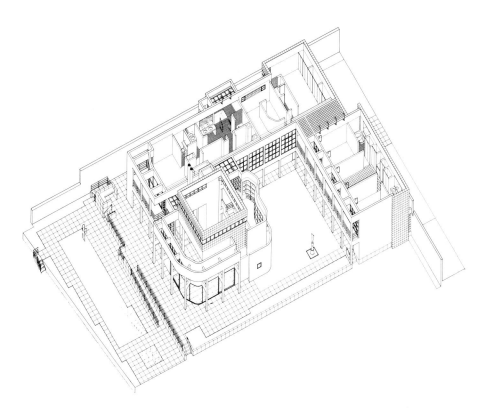

Les surfaces blanches, l'une des caractéristiques les plus mémorables du travail de Richard Meier, constituent un arrière-plan idéal pour les variations subtiles de la lumière, selon l'heure.

Ci-dessus et à gauche
Maison Ackerberg, Malibu, Californie, Etats-Unis.

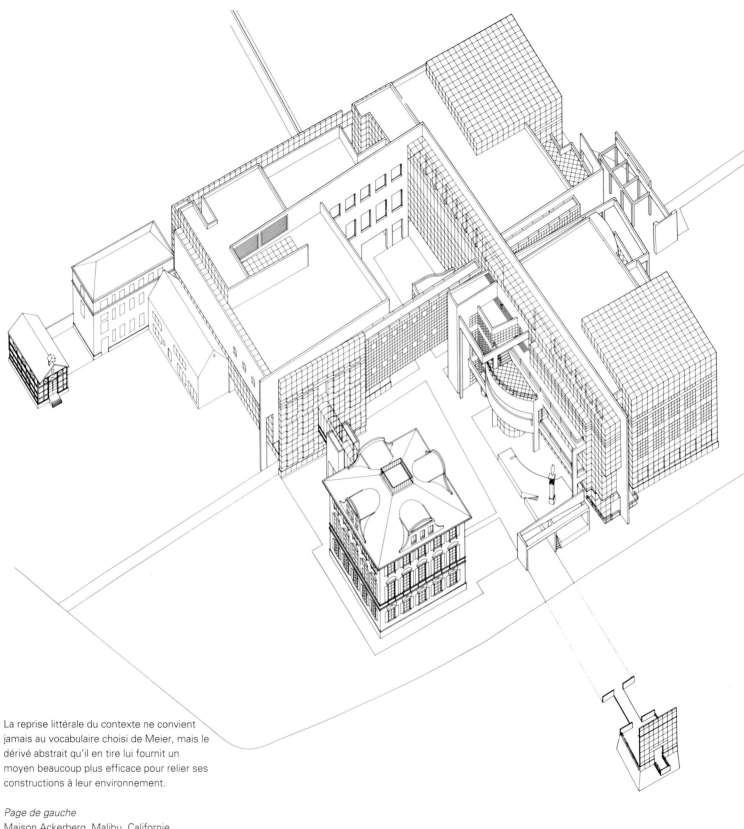

La reprise littérale du contexte ne convient
jamais au vocabulaire choisi de Meier, mais le
dérivé abstrait qu'il en tire lui fournit un
moyen beaucoup plus efficace pour relier ses
constructions à leur environnement.

Page de gauche
Maison Ackerberg, Malibu, Californie,
Etats-Unis.

Ci-dessus
Musée des Arts décoratifs, Francfort,
Allemagne.

Tadao Ando

Tadao Ando semble s'apparenter aux maîtres du mouvement Moderne par son traitement simplifié du béton, à la différence près qu'il ne se veut pas fonctionnaliste. Sa quête du sens architectural est hautement individualiste. En tentant de dépasser les seuls critères fonctionnels, Ando espère découvrir la vraie signification de la modernité architecturale. Tout comme Peter Eisenman, Ando affirme que le Moderne est à découvrir, même si les deux architectes conçoivent des espaces totalement différents. Le premier souci d'Ando est la tectonique - le mariage de matériaux disparates - qui pour lui marque les débuts d'une architecture possible.

Ando commente ainsi son œuvre : "Je crois que trois éléments sont requis pour la cristallisation de l'architecture. Le premier est le choix de matériaux authentiques - béton brut ou bois naturel. Le deuxième est la géométrie pure, par laquelle l'architecture se dote d'une présence (comme au Panthéon à Rome) ; ce pourrait être un volume solide pur, mais pour moi ce serait plutôt un *cadre* tri-dimensionnel, qui s'accorde davantage avec mon idée personnelle de la géométrie pure. Le dernier élément est la nature. Je n'entends pas par là, la nature à l'état brut, mais celle qui est domestiquée, ordonnancée par le travail de l'homme - le contraire du chaos. Il s'agit d'un ordre où lumière, eau et ciel peuvent assumer des qualités abstraites. Lorsqu'une telle nature s'introduit dans une composition faite de géométries et de matériaux, l'architecture peut devenir abstraite. Mais elle ne peut être puissante et radieuse que lorsque ces trois éléments s'y trouvent associés.

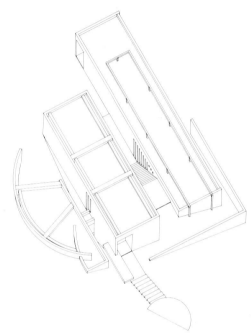

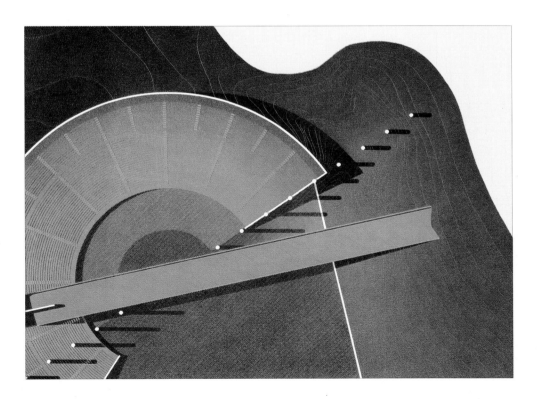

Au cours de son approche minimaliste de la création de l'espace, Ando réduit l'architecture à son essence et souligne l'inévitable contraste entre le naturel et l'artificiel. Quand on les place sur le fond neutre d'un pan de mur de béton nu, la qualité artistique d'une chaise admirablement façonnée ou d'un vase plein de fleurs ressort de façon plus sensible.

Page de gauche
Chapelle sur le mont Rokko, Kobe, Hyogo, Japon.

A gauche
Théâtre sur l'eau, Tomamu, Hokkaido, Japon.

Ci-dessus et pages suivantes
Maison Koshino, Ashiya, Hyago, Japon.

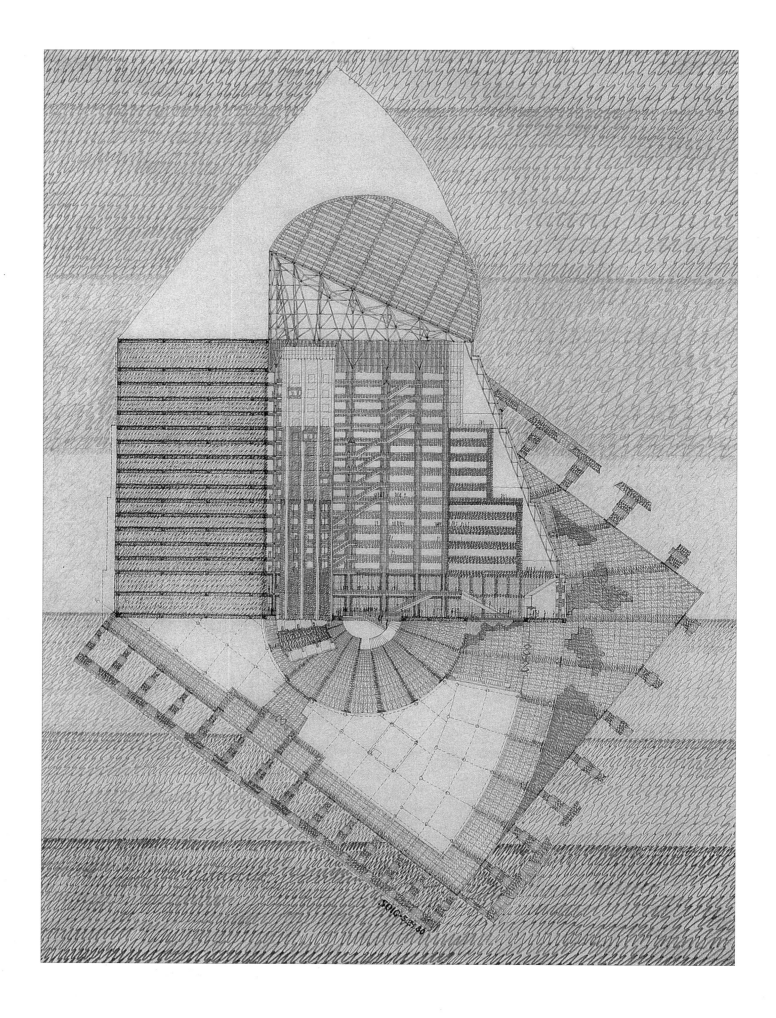

Helmut Jahn

Pour Louis Sullivan, le gratte-ciel devait être "un objet grand et élancé" ; Pouvait-il anticiper ce que Helmut Jahn allait faire subir à cette typologie relativement nouvelle ? Jahn a fait un travail considérable dans d'autres domaines, mais le gratte-ciel est devenu le support idéal de ses idées architecturales. Jahn a débuté sa carrière en fonctionnaliste pur, à la Mies Van der Rohe, convaincu de la nécessité d'asseoir le projet sur de solides bases rationnelles. Il a depuis rejoint ceux qui veulent rendre au gratte-ciel sa division anthropomorphique première en base, fût et chapiteau - division éminemment rationnelle du point de vue purement physiologique, puisque les automobilistes et les piétons circulant dans les ravins bétonnés de nos grandes métropoles ne peuvent plus guère en appréhender les tours d'un seul tenant. Jahn tire profit de son extraordinaire don de l'illustration, pour explorer les options formelles qu'il croit appropriées aux attentes du client et du site. De plus, il réussit à entretenir un équilibre difficile dans cet exercise de composition qui exige de créer un lien et une séparation entre les éléments de cette forme tripartite. Si nous ajoutons à tout cela une multiplicité d'exigences d'ordre réglementaire ou bassement commercial, nous pouvons commencer à saisir la complexité programmatique du gratte-ciel d'aujourd'hui, et à apprécier la capacité de Helmut Jahn à en tirer parti.

La dextérité graphique de Jahn semble contredire son goût manifeste pour la technologie, mais elle lui permet d'explorer de nombreuses options formelles, tout en évitant la froideur mécanique inhérente à trop de projets de l'architecture *High-Tech*.

Page de gauche
Centre de l'Etat d'Illinois, Chicago, Etats-Unis.

A gauche
Annexe de la Chambre de commerce, Chicago, Etats-Unis.

Ci-contre
Projet de la Humana, Louisville, Kentucky, Etats-Unis.

Ralph Erskine

Elevé dans l'ambiance moderne de l'Angleterre des années trente, du Tecton de Lubetkin, de Lucas et Ward, mais aussi chez les Quakers, Ralph Erskine a épousé tôt les idéaux d'une société dont l'architecture rêvait de changer la vie. Émigré en Suède au tournant de la Deuxième Guerre mondiale, il s'est trouvé dans un climat social progressiste et a su y développer un processus original de conception architecturale, basé sur une participation sérieuse avec les habitants. Dans ce sens, il représente de longue date un modèle, la figure morale et exemplaire d'une certaine architecture utopique réalisée.

On s'avise aujourd'hui que cette morale du projet qui apparaissait comme un fantasme scandinave et lointain, avait trouvé dans le bâti- ment-muraille que Erskine a réalisé dans les années soixante-dix à Newcastle-upon-Tyne un mode de concrétisation plausible, voire remar- quable. Mieux, la recherche têtue du contextualisme et de l'économie des moyens, matériaux et mise en œuvre dont Erskine s'est fait le champion, en font le pionnier d'une "soft-tech" dont Piano et Gehry sont les adeptes les plus ardents. La bibliothèque de l'université de Stockholm, à Frescati, en est le prototype achevé : circulations rejetées à l'extérieur pour des raisons d'économie thermique, matériaux légers, tôle ondulée et bois, articulations simples et savantes, tous les ingré- dients de l'architecture de la fin du siècle font ici figure de modèle.

Des formes douces adaptées aux rudes conditions climatiques, une démarche architecturale où la participation joue un rôle primordial, des matériaux légers et des articulations souples, tous les ingrédients du "soft-tech" font de l'œuvre de Ralph Erskine un modèle de l'architecture de la fin du siècle.

Page de gauche et ci-contre
Bibliothèque de l'université de Stockholm, Frescati, Suède.

Fumihiko Maki

Maki a été l'un des membres-fondateurs du groupe Métaboliste, en 1960. Il s'en est quelque peu éloigné par souci de problèmes sociaux et de ce qu'il caractérisait comme la "forme collective" de l'infrastructure urbaine ; mais lui aussi a fini par céder aux exigences implacables du marché, qui font de Tokyo la ville illisible que nous savons. Aujourd'hui, Maki se préoccupe moins du contexte urbain, préférant créer des univers ordonnés et autonomes. De son immeuble Spiral, il remarque que "l'époque d'un style immuable est bel et bien révolue ; l'ordre urbain classique s'est écroulé, et toute œuvre architecturale qui *intériorise* la ville et joue un role de mécanisme de transmission vers l'extérieur, pourra incarner la nouvelle réalité urbaine - un milieu atomisé qui se renouvelle constamment en se fragmentant". L'immeuble Spiral est un commentaire sur cette fragmentation urbaine, mais aussi sur l'iconographie des Modernes, qui avaient cru pouvoir maîtriser sa croissance. Maki encadre ses puissantes formes corbuséennes d'une charpente découverte, ses pilotis indiquent les circulations traversant le bâtiment ; et les panneaux *Shoji*, symbole japonais adoré par les Modernes, regroupant autant de projections publicitaires, tranchent sur les murs d'aluminium lisse qui les entourent - pour le cas où l'on n'aurait pas encore compris l'effet escompté. Si l'œuvre de Maki renferme une leçon, ce serait qu'elle est extrêmement difficile à classer car, comme beaucoup de ses contemporains japonais, il ne cesse de remettre en cause son propre "style" afin de l'adapter à des situations nouvelles.

Grâce à un équilibre irréprochable entre la fonction et le contenu, Maki paraît être l'un des rares à savoir jeter un pont au-dessus du goufre que le Modernisme a creusé de propos délibéré entre un bâtiment en tant qu'objet et ce qui l'entoure. La construction du Spiral Building, face à l'avenue Aoyama, la grande artère commerçante de Tokyo, évoque un idéogramme complexe, qui rassemble de nombreux éléments hérités de la phase héroïque du Modernisme.

Page de gauche, à gauche et ci-contre
Spiral Builiding, Tokyo, Japon.

Itsuko Hasegawa

Le rapport entre l'homme et la nature est l'un des thèmes privilégiés de l'architecture au Japon. Il mériterait à lui seul une étude en profondeur. Au fur et à mesure de l'industrialisation de ce pays, et des problèmes d'exode rural qui l'ont accompagnée, les liens traditionnels avec la nature se sont sensiblement modifiés. La nouvelle architecture japonaise interprète la nature plutôt qu'elle ne l'exprime. Itsuko Hasegawa pratique la métaphore ironisante, en se servant des produits de la technologie - cause première de la rupture énoncée ci-dessus - comme miroir du monde naturel. Dans sa maison de Nerima, par exemple, un toit en tôle relie plusieurs volumes disparates sous sa forme ondulée, des paravents perforés évoquent collines et nuages, et les différentes pièces sont dotées de toitures secondaires - "plate-formes d'observation de la lune" - d'où l'on peut admirer ce phénomène naturel, unique (en dehors du mont Fuji) à avoir échappé à l'urbanisation effrénée. Avec Bizan Hall, à Shizuoka, la métaphore va plus loin encore : une multiplicité de toits à lucarne reproduit les formes de la colline qu'ils cachent. Dans les deux cas, la technologie se *substitue* à l'environnement qu'elle détruit. Ces gestes, bien que d'inspiration Moderne, sont ceux d'une société qui, étant parvenue au faîte de son pouvoir industriel, se demande si le jeu en vaut la chandelle.

Pour Itsuko Hasegawa, les matériaux industriels offrent de nouvelles possibilités pour enclore l'espace et permettre l'évocation ironique d'un paradis naturel perdu.

Page de gauche
Maison à Nerima, Tokyo, Japon.

A gauche
Bizan Hall, Shizuoka, Japon.

Henri Ciriani

Henri Ciriani s'est fait le défenseur infatigable des idéaux du mouvement Moderne et de l'héritage corbuséen. Son enseignement, son discours et sa pratique attestent de son attachement aux principes de la modernité des temps héroïques, à la prééminence dans le projet des notions d'espace et de lumière et aux "cinq points" développés par Le Corbusier : le pilotis, le toit-terrasse, le plan libre, les fenêtres en longueur, la façade libre.

Plus encore, Ciriani s'est attaché à poursuivre les idéaux sociaux prônés par les Modernes, et le logement en demeure la grande affaire. A Noisy-le-Grand où il a réalisé deux ensembles majeurs, à Saint-Denis avec sa remarquable "Cour d'angle", à Evry encore, Ciriani a su démontrer que l'architecte devait travailler au "bénéfice collectif, support essentiel de la valorisation de l'individu". Avec d'autres programmes à vocation sociale - une crèche à Saint-Denis, ou le Centre de la petite enfance de Torcy - Ciriani s'est trouvé plus libre que dans le cadre étroit des normes imposées en France pour le logement social, et son écriture s'y est affirmée et affinée, montrant de la gravité et de la générosité. S'il a de l'ambition pour l'architecture, il revendique aussi une esthétique personnelle. Selon ses propres termes : "…Mais il y a aussi une morale formelle que j'appellerai le style ou la manière, le mode projectuel. Elle appartient en partie à l'idiosyncrasie de l'architecte - son mode psycho-sensible - et aux facteurs conjoncturels de la réalité, la mémoire ou les influences stylistiques extérieures. Cette manière de faire, cette poétique personnelle, ce n'est pas une fin en soi ; c'est une nécessité incontournable."

La couleur, l'échelle et la structure servent à la fois à augmenter au maximum l'espace central de la maison de la Petite Enfance et à le rendre plus rassurant pour les très jeunes enfants qui le fréquentent.

Page de gauche et ci-contre
Maison de la Petite Enfance, Torcy, France.

I. M. Pei

En quarante ans de carrière, I. M. Pei a beaucoup construit, tout en restant fidèle à ses idées, inspirées de la phase héroïque du mouvement Moderne sous l'influence de Walter Gropius et Marcel Breuer. En effet, Pei privilégie la qualité de *l'espace*, où lumière, structure et circulations se manient comme autant de supports. Ceci dit, son souci des exigences du site est un trait caractéristique du Modernisme tardif, comme en témoignent ses projets pour le Centre national de la Recherche atmosphérique, à Boulder Hill, au Colorado, l'aile Est de la Galerie nationale d'Art moderne à Washington, ou son hôtel de Xiangshan, à Pékin. Pour ce dernier, sur un site historique d'une sensibilité extrême, le gouvernement chinois avait demandé une tour à la manière du Style International. Pei a préféré organiser des bâtiments de faible hauteur autour d'une série de cours et de jardins, créant ainsi une ambiance de grande intimité. Un même souci du site a inspiré son projet pour la grande entrée en verre et en acier du musée du Louvre et, malgré les polémiques qui ont éclaté lors des premières phases de la construction de la "pyramide", elle est désormais reconnue comme une réponse les mieux raisonnées à un problème architectural d'une densité et d'une complexité extrêmes.

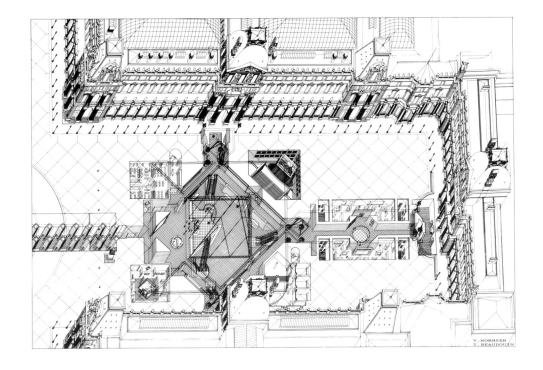

Noyau central des différents secteurs du musée, la pyramide de Pei offre un meilleur accès que l'ancienne entrée, où les visiteurs se bousculaient, et crée de façon discrète un espace dont le besoin se faisait cruellement sentir.

Page de gauche et ci-contre
Pyramide du Louvre, Paris, France.

Mario Botta

Pour définir les rapports entre son architecture et son contexte, Mario Botta énonce cinq principes. Le premier est la tentative de créer un échange réciproque entre le site et les ajouts qu'il y introduit. Botta privilégie les aspects positifs d'un site donné en écartant tout élément extrinsèque. Pour lui, cette démarche, qu'il appelle "la construction du site", est tout aussi importante que les exigences de programme ou de structure. En second lieu, les impératifs territoriaux de l'architecture exigent que l'étude de l'impact matériel, psychologique et symbolique dépasse très largement les seules frontières juridiques. Troisièmement, ce n'est qu'en identifiant la géologie d'un site que l'architecte parviendra à créer un paysage authentique - sa morphologie doit être saisie et reconnue. Quatrièmement, le meilleur hommage que l'on puisse rendre au passé est de concevoir un projet véritablement moderne. Comme Aldo Rossi, Botta remarque que tout modèle valable s'adapte à des usages divers, et il cite des exemples, entre autres celui du Panthéon, qui a rempli plusieurs fonctions au cours de sa longue histoire. Cette modernité est fondée sur le réalisme plutôt que sur un exhibitionnisme technologique ou constructif. Enfin, tous ces éléments donnent à ses bâtiments des qualités humanistes et atemporelles qui doivent nous mettre en garde contre l'étiquette rationaliste qu'on lui attribue parfois.

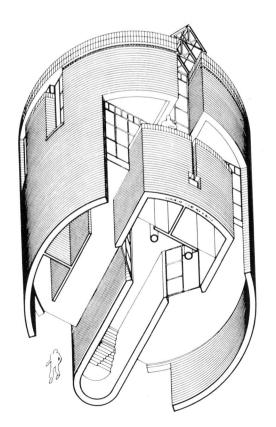

Tout en introduisant un ordre géométrique strict dans ses architectures, Mario Botta parvient à le rattacher aux caractéristiques régionales de chaque site.

Page de gauche
Médiathèque à Villeurbanne, France

Ci-contre
Maison "Rotonde", Stabio, Italie.

Norman Foster

Selon Louis Kahn, Giotto pouvait peindre les roues d'une charrette sous forme de carrés (pour donner l'impression des efforts faits par l'âne). Les roues de l'architecte, elles, sont tenues d'exprimer toute leur rondeur. A la fois art et science, l'architecture recherche toujours un fragile équilibre entre la créativité et le fonctionnalisme pur - dilemme que Norman Foster a pu déjouer avec une maîtrise peu commune. Le plus souvent, ses solutions sont d'une vivacité extrême : c'est le cas d'un de ses premiers projets, l'immeuble Willis Faber Dumas, à Ipswich, en Angleterre. Confronté au problème quasi-insurmontable d'inscrire le siège social d'une entreprise dans le tissu fragile d'une ville traditionnelle, Foster a pu rassurer son client et la municipalité en dessinant un bâtiment qui soit le *reflet* du voisinage au lieu de l'écraser. Sa vaste "fenêtre-rideau", sans aucune indication d'échelle, réussit à faire "disparaître" l'immeuble pendant la journée. Mais, dès la tombée de la nuit, la peau en verre s'éclipse pour révéler le corps bétonné interne. La série d'innovations que Foster a pratiquées, ici et ailleurs, montre qu'il est possible de répondre aux exigences d'un programme contradictoire sans tomber dans l'exclusive des Modernes. Par son souci du détail, et son analyse minutieuse des besoins de toutes les parties concernées, l'architecture de Foster est à la fois fonctionnelle et créative.

Devant une construction de Foster, on a toujours le sentiment d'être en présence d'un bel objet artisanal, aux lignes élégantes, qui demeure sensible aux aspects spécifiques de la situation et du contexte.

Page de gauche
Projet de tour Millenium, Tokyo, Japon.

Ci-contre
Aéroport de Stansted, Grande-Bretagne.

Pages suivantes
Centre de distribution Renault, Swindon, Grande-Bretagne.

Le rejet des structures à l'extérieur, leur accentuation, ainsi que la répartition en zones de services afin de ménager une plus grande flexibilité à l'intérieur du bâtiment, tels sont les principes inébranlables du dogme *High-Tech*.

Ci-contre
Siège social de la Hong Kong and Shangai Bank Corporation, Hong Kong.

Renzo Piano

Renzo Piano a partagé avec Richard Rogers la gloire d'avoir bâti, à Paris, le Centre Georges Pompidou souvent qualifié à tort de *High Tech* des années soixante-dix. Piano, au contraire, en a toujours souligné les aspects artisanaux et le caractère "prototypique".

L'architecte appartient, en effet, à la race des inventeurs-bâtisseurs : sa vocation suit une tradition familiale. Piano dénie à l'architecte le rôle d'artiste démiurge. Dans son ouvrage *Chantier ouvert au public*, il affirme : "A mon sens, est belle une forme qui est née d'un usage heureux de la matière et d'une utilisation aussi riche que possible de l'environnement considéré. Ces deux dimensions fondent l'existence profonde d'une architecture et la signalent comme telle. La discipline formelle découle de la discipline de la matière et de celle du procédé de construction.

A la discipline constructive, Renzo Piano ajoute un souci constant des désirs de son client et des utilisateurs. Trois bâtiments remarquables illustrent le bien fondé de cette démarche. Avec les galeries de la collection De Menil, à Houston, Piano répond au défi posé par sa cliente Dominique De Menil en bâtissant un musée "petit dehors et grand dedans". Il invente une "feuille" de fibrociment qui sert de brise-soleil tout en laissant la lumière vivante. Le bâtiment se pose avec discrétion dans un quartier sub-urbain traditionnel. Les mêmes qualités d'urbanité ont présidé aux destinées de l'adjonction à l'IRCAM, petit bâtiment de brique rouge inséré dans le creux d'une école du tournant du siècle face au Centre Pompidou. Ici encore, une innovation technique ; les panneaux de briques enfilées sur des tiges d'acier et libres de toute maçonnerie.

Le centre commercial de Bercy démontre la sensibilité de Piano face à l'environnement et sa maîtrise de l'échelle ; posé au bord du périphérique, il s'offre comme un grand dirigeable d'acier ancré au creux de l'échangeur.

La fin de la décennie a vu Renzo Piano gagner un concours important ; le nouvel aéroport de Kansaï dans la baie d'Osaka est en voie de réalisation et s'annonce comme une œuvre majeure de l'architecte.

Renzo Piano allie les qualités d'invention technique de l'architecte-ingénieur à une sensibilité aiguë du contexte dans lequel il pose ses bâtiments.

Page de gauche et ci-contre
Fondation De Menil, Houston, Texas, Etats-Unis.

89

Ci-dessus
Extension de l'IRCAM à Paris, France.

Page de droite
Le centre commercial de Bercy à Paris-Charenton, France.

Richard Rogers

L'architecture de Richard Rogers apporte une fraîcheur et une universalité au style *High-tech* qui, ailleurs, s'apparenterait plutôt au clinquant de la société de consommation - expression ultime de l'esthétique machiniste qui s'est développée depuis la révolution industrielle. Rogers a une conscience aiguë des questions qui remettent en cause cette esthétique, telle la croissance démographique effrénée et ses conséquences pour l'écologie et la vie économique. De plus, il place son œuvre dans la tradition des technologies du passé, y compris celles de l'architecture gothique, fruit de l'exploitation des matériaux disponibles à l'époque. Selon cette logique, Notre-Dame serait l'ancêtre du Centre Georges Pompidou, et la question du contexte prend une dimension nouvelle. Quelle que soit la date de sa construction, tout bâtiment participe à une seule et même tradition constructive, dans la mesure où la structure, la peau et les matériaux sont poussés à leurs limites, afin de créer un espace flexible à l'intérieur. De ce point de vue, l'architecture est l'expression appropriée des ressources technologiques d'un lieu et d'une époque donnés, et le *High-tech*, la seule pratique architecturale possible. Rogers ajoute que les capacités technologiques du monde industrialisé ne cessent de se développer à une vitesse incroyable, amenant une deuxième révolution industrielle, celle de l'ordinateur et de la bio-technique. Il estime que cette révolution est une chance, non seulement d'améliorer l'esthétique de l'environnement bâti, mais aussi de réaliser pleinement la vision Moderniste d'une architecture qui sert la société en tenant compte de ses facettes multiples.

Entre les mains de Richard Rogers, l'architecture *High-Tech* se caractérise davantage par un contraste avec le passé que par un accord avec lui.

Page de gauche
Lloyds Building, Londres, Grande-Bretagne.

Ci-contre
Centre Georges Pompidou, Paris, France.

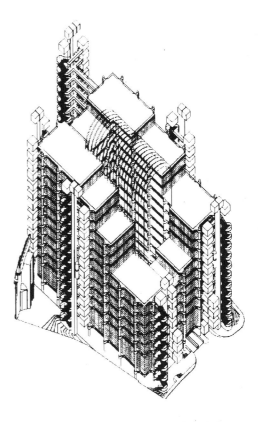

Par l'audace qui a présidé à leur réalisation à travers les siècles, les cathédrales gothiques, les palazzi massifs, en pierre, et la cathédrale Saint-Paul, à Londres, ont été autant de sources d'inspiration de ces ensembles.

Page de gauche
Lloyds Building, Londres, Grande-Bretagne.

Ci-dessus
Version antérieure du Lloyds Building.

Pages suivantes
Usine Imnos, Newport, Gwent, Pays de Galles, Grande-Bretagne.

95

Cesar Pelli

Cesar Pelli examine les paramètres de chacune de ses commandes afin d'y découvrir l'indice d'un concept nouveau. Pragmatique, il considère les limites du projet comme un aspect positif de la créativité. Pelli va bien au-delà du simple fonctionnalisme : il épuise les possibilités de chaque problème au lieu de ne répondre qu'à ses seules exigences programmatiques. Dans sa référence à une "architecture de vie", Pelli accepte l'idée de la temporalité, qui lui fait choisir le verre pour ses constructions ; la maîtrise de ce matériau est l'une des marques de son œuvre car, avec lui, il explore les qualités de légèreté et de transparence qui ont tant fasciné les visionnaires du Modernisme, tel Mies Van der Rohe, dont les premiers projets cristallins nous hantent toujours. En affinant continuellement la finition de ses peaux en verre, Pelli réussit à se rapprocher de cette vision idéale, puis, par l'addition de la couleur, à en élargir les horizons. En effet, le choix et le maniement de la couleur est une critique du Style International, qui répugnait à l'utiliser librement. Dans ses derniers projets - le quartier de Canary Wharf, à Londres, en est un exemple - cette critique s'intensifie pour refléter la vitalité inhérente à l'environnement de chacun d'entre eux, preuve supplémentaire que Pelli est près d'atteindre son objectif.

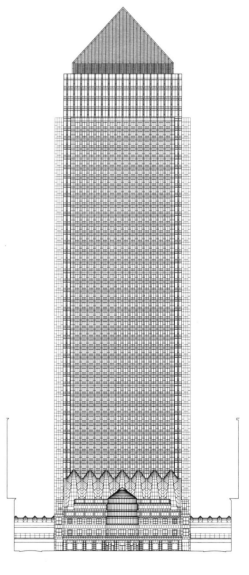

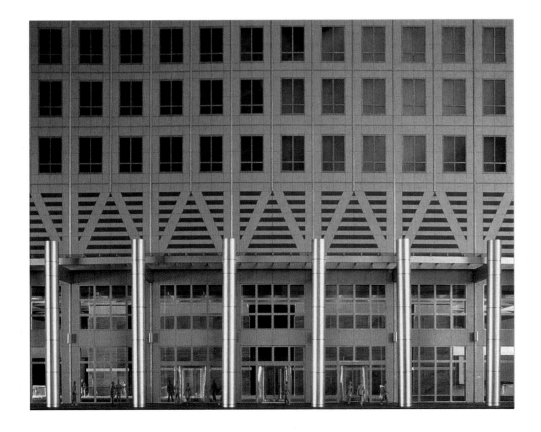

Page de gauche
World Financial Center, Battery Park City, New York, Etats-Unis.

Ci-dessus et ci-contre
Canary Wharf, Londres, Grande-Bretagne.

Pages suivantes
Pacific Design Center, Los Angelès, Californie, Etats-Unis.

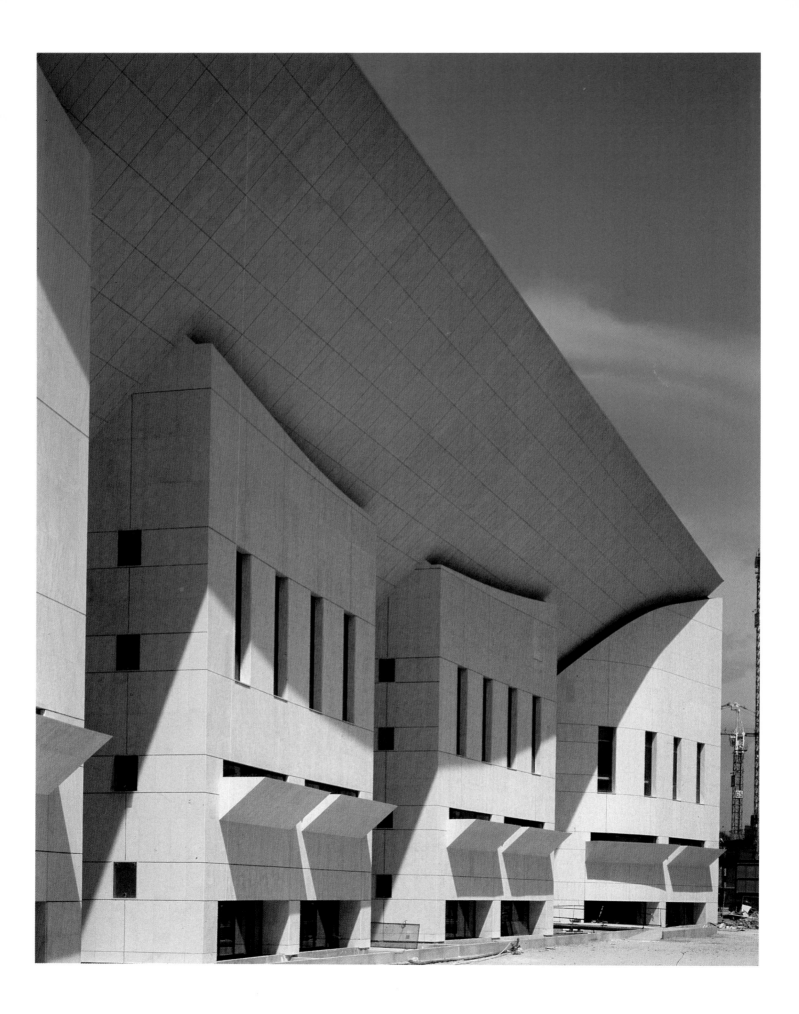

Christian de Portzamparc

Parmi les acteurs du renouveau de l'architecture française, Christian de Portzamparc est celui dont le parcours est exemplaire. De la révolte contre le vieux système des Beaux-Arts à la reconnaissance internationale qui le fait aujourd'hui construire au Japon, Portzamparc aura, en deux décennies fertiles, affronté toutes les problématiques que sa génération a réintroduites dans le débat architectural. La question urbaine d'abord, qu'il a traitée sans nostalgie : son concours pour la Roquette, en 1974, puis le quartier des Hautes Formes, à Paris, en 1978, reconcilient l'architecture moderne et la ville. Le retour de la mémoire ensuite : Portzamparc est parmi les premiers à célébrer l'effacement de la rupture entre modernité et histoire et à assumer tous les héritages. Enfin et surtout, Portzamparc a enrichi tout au long de son œuvre un vocabulaire personnel et original. A la Cité de la Musique, à La Villette, une façade urbaine unie est le prélude à une composition fragmentée, où s'exprime la liberté gagnée d'un créateur qui cherche la voie juste entre la "légitimité de l'époque" et la subjectivité de l'artiste. Dans un entretien avec le directeur du musée d'Art contemporain de Bordeaux, Jean Louis Froment, Portzamparc indiquait : "… des dessins libres ont jalonné comme des antithèses, des respirations, mon travail d'architecte. Ensuite, ils ont peu à peu contaminé les constructions… et peut-être est-ce le peintre en moi qui parvient à bien dépasser le débat formalisme-fonctionnalisme, à poser autrement la question de la forme. Ce que je fais émerger dans le travail, c'est qu'il n'y a jamais une seule forme juste pour une fonction et que réciproquement, aucun lieu et aucune forme ne doivent avoir un seul usage, un seul sens…"

Christian de Portzamparc s'est constitué un vocabulaire original qui trouve toutes ses expressions dans sa dernière œuvre, la Cité de la Musique, à La Villette.

Page de gauche
La façade sur l'avenue Jean Jaurès présentant un front urbain à la fois uni et pénétrable, Cité de la Musique, La Villette, Paris, France.

Ci-dessus
Le long bâtiment percé d'une fenêtre urbaine et couvert d'une toiture en forme de vague, Cité de la Musique, La Villette, Paris, France.

Page de droite et ci-dessus
Cité de la Musique, La Villette, Paris, France.

L'aire de repos en creux de l'entrée forme
un espace à la fois ouvert et protégé.

La Cité de la Musique, c'est un programme
complexe dont chaque élément s'identifie
de manière distincte, une fragmentation
qui donne à l'ensemble une dimension
urbaine et intime à la fois.

Ci-dessus
L'oculus dans le toit en vague, Cité de la Musique,
La Villette, Paris, France.

Page de droite
Logements et gymnase sous le toit, Cité de la Musique,
La Villette, Paris, France.

Michael Hopkins

Michael Hopkins exerce ce que l'on pourrait appeler un fonctionnalisme inspiré, auquel les années passées avec Norman Foster ne sont bien sûr pas étrangères. Le Centre de Recherche Schlumberger, à Cambridge, en est un exemple remarquable, dans lequel la technologie avancée de la tenture a été brillamment adaptée à une fonction inattendue, conférant au bâtiment une évidence qui est la marque de toute grande architecture. En exploitant pleinement les possibilités d'un nouveau tissu translucide, fait de fibre de verre recouvert de Teflon, Hopkins accentue plus qu'il n'oblitère les contours naturels du terrain et crée un bâtiment *High-tech* éloquent, mais qui, fait rarissime, s'accorde également bien au site. Le tissu contribue au confort des chercheurs par ses qualités réflectives et isolantes, aussi est-il un choix idéal pour l'architecte, qui entend donner un visage humain à la technologie. Mais Hopkins va plus loin encore puisqu'il en souligne la minceur, se sert de cables et de tirants pour le faire ressembler à une peau qui recouvrirait le squelette sous-jacent, bien que la force de tension l'apparente à l'acier.

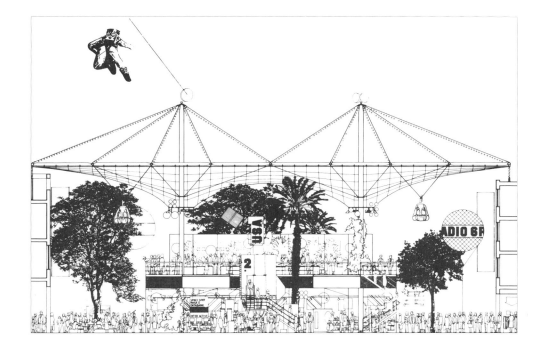

La percée récente effectuée dans la technologie des membranes fait du teflon enduit de fibre de verre un matériau de couverture de choix pour Michaël Hopkins Partners, grâce à sa transparence, sa légèreté et sa flexibilité.

Page de gauche
Tribunes, Lord's Cricket Ground, Londres, Grande-Bretagne.

Ci-contre
Place centrale couverte, Basildon, Grande-Bretagne.

Pages suivantes
Centre de Recherche Schlumberger, Cambridge, Grande-Bretagne.

Jean Nouvel

Volontiers provocateur, prolixe en mots et en projets, Jean Nouvel qui a atteint la notoriété internationale avec l'Institut du Monde Arabe, achevé à Paris en 1987, a déjà bâti une œuvre abondante et diverse qu'un regard superficiel pourrait taxer d'éclectisme, si l'architecte ne revendiquait hautement la notion de spécificité : à un programme et un contexte donnés répond un bâtiment spécifique.

Nouvel se veut "absolument moderne" et bouscule sans ménagements l'idée d'une architecture s'affirmant comme discipline autonome. L'architecture selon Nouvel véhicule les valeurs et les signes d'une civilisation. Sensible au monde des images, Nouvel exploite tous les domaines visuels - les arts plastiques, la publicité, la télévision et la vidéo, le cinéma et les scènes du spectacle - qu'il intégre à l'architecture.

Trois bâtiments majeurs jalonnent l'œuvre de Nouvel dans les années 80 ; l'Institut du Monde Arabe à Paris, l'hôtel Belle Rive de Jean Marie Amat près de Bordeaux et l'INIST (Institut de l'information scientifique et technique), centre de documentation du CNRS à Nancy. L'Institut du Monde Arabe réussit la gageure de concilier les caractères d'un immeuble urbain parisien, la modernité constructive et les signes archétypiques de la culture arabe. L'hôtel Belle Rive et ses maisons rouillées comme dans une chanson de Charles Trenet se posent avec force et grâce dans un paysage bucolique. Conçu comme une usine à transformer l'information, l'INIST affecte un "look" industriel que dément la sophistication des matériaux et des formes. Ces trois réussites attestent la virtuosité de Nouvel face à des situations différentes et sa capacité à créer des images fortes et originales.

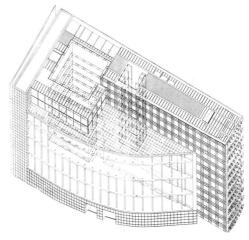

Jean Nouvel se réclame d'une spécificité qui donne à son œuvre une diversité parfois déroutante.

Page de gauche
Hôtel Haute Rive, Bordeaux-Bouliac, France.

Ci-contre et ci-dessus
Institut du Monde Arabe, Paris, France (avec P. Soria, G. Lézénès, Architecture Studio).

Pages suivantes
L'INIST, centre de documentation conçu comme une machine à traiter l'information. Nancy, France.

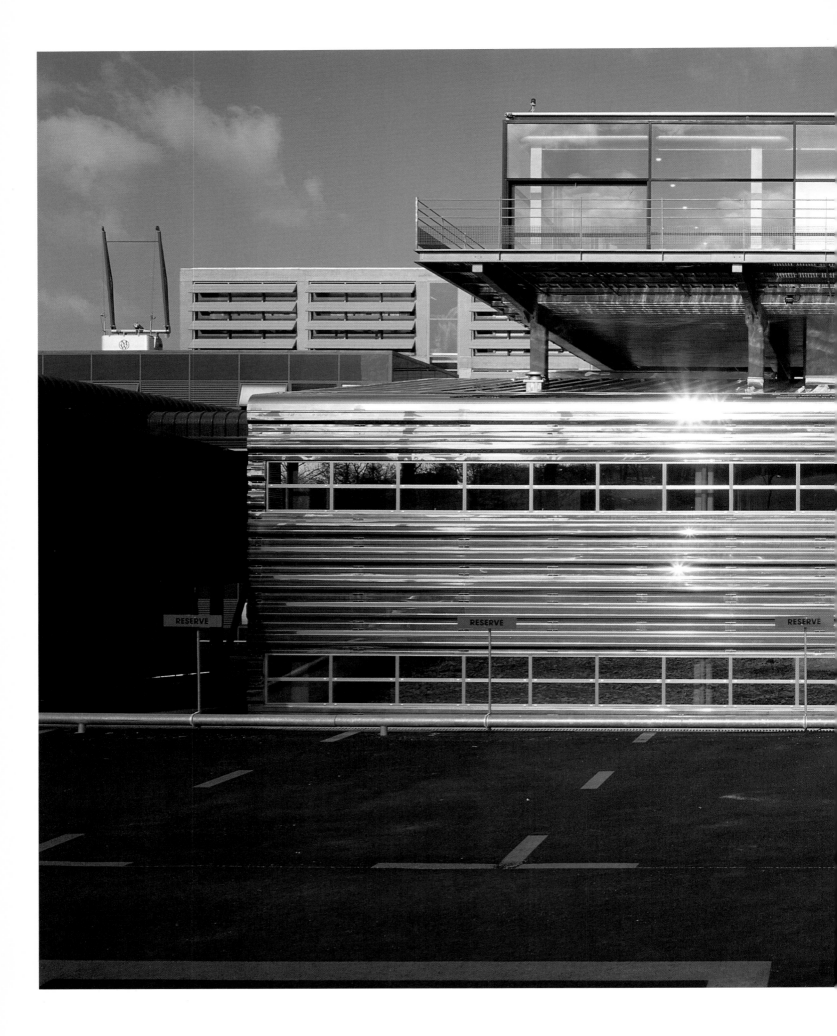

Dominique Perrault

"Les analyses, méthodes, processus, dogmes, procédés, trucs et ficelles ne suffisent plus à nous cacher notre incapacité à penser la ville contemporaine. Ses évolutions, ses mutations ne peuvent avoir lieu qu'au travers d'une conception inédite du rapport entre l'homme et l'architecture.

Il faut rompre avec l'itinéraire suivi jusque là par l'architecture Moderne et ses déviances post-modernes. A l'image du mouvement minimaliste qui propose un autre rapport aux choses "en œuvrant dans l'intervalle qui sépare l'art de la vie".

Ainsi, comme la disposition du socle pour la sculpture qui entretenait un rapport d'exclusion entre l'art et l'homme, l'architecture minimaliste diffère, à tout point de vue, de l'iconographie, de la structure, de la situation dans l'espace, des techniques et des matériaux. Elle n'est pas structurée par des relations internes mais constituée par la gestion de l'incohérence et de l'aléatoire d'éléments autonomes, assemblés dans une même enveloppe en un lieu précis. Son volume peut être quasi immatériel et se réduire, soit à une structure à claire-voie ou à un grillage métallique, soit à des barres de lumière impalpable ou encore à une disparition par enfouissement de l'objet architectural. Ses formes sont neutres, géométriques : son échelle est méditée et calculée au millimètre près ; ses matériaux sont multiples et sans à priori.

Enfin, l'architecture minimale est destinée à susciter des réactions à prédominance physique. Le premier contact avec l'architecture est de l'ordre de la perception sensorielle et physique. L'impression doit être immédiate, dénuée de toute ambiguïté et, en quelque sorte, définitive. Il s'agit d'une relation d'équivalence simple et évidente entre l'homme et l'objet.

Ainsi pourrons-nous explorer des voies nouvelles, en fabriquant des objets aux dimensions spécifiques, associés à des lieux spécifiques, pour provoquer des réactions spécifiques."

Dominique Perrault

Page de gauche et ci-contre
Ecole supérieure d'ingénieurs en électronique
et électromécanique, Marne-la-Vallée, France.

Ci-contre et ci-dessus
Hôtel industriel Berliet, Paris, France.

Page de droite
Dessin et maquette de la Bibliothèque de
France, Paris, France.

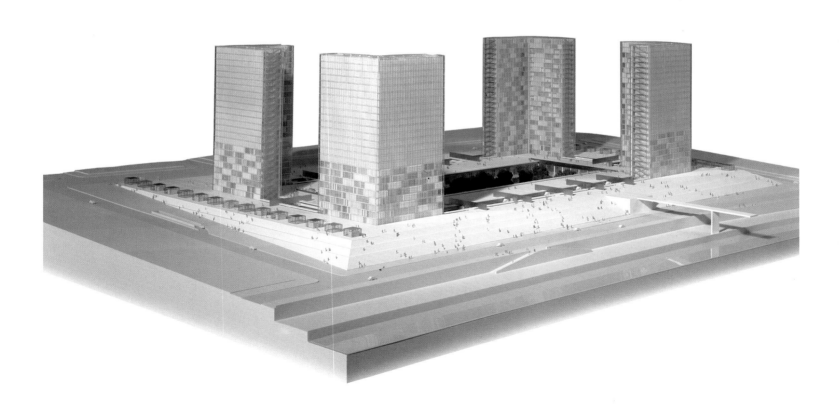

121

Le sujet de l'architecture

Le mouvement Moderne a remis en cause l'attitude dominante qui bornait l'acte architectural à la reproduction servile des modèles du passé. Il a secoué le joug des idées reçues et tiré l'architecture du confort désespéré de la banalité. Il a changé notre manière de voir et de penser l'architecture : nos idées sur le lieu, l'usage, les matériaux et la technologie riment désormais avec celles sur la forme, la proportion, la lumière et l'échelle. En s'efforçant d'élargir le champ d'exploration des formes, les Modernes ont d'abord privilégié la technologie ; mais dans leur histoire d'amour avec la machine, avec la lumière fraîche de la raison pure, ils ont perdu contact avec le sensuel, fondement de notre être esthétique. A nos yeux, les maîtres Modernes se sont trop identifiés à la production industrielle. Aujourd'hui, nous avons assimilé l'autorité tectonique et spatiale du mouvement Moderne, mais chaque nouveau miracle de la construction ne présente qu'une fascination limitée. La technologie ne peut plus être le sujet de l'architecture. En fait, pour moi, le sujet de l'architecture, c'est elle-même

L'abstraction architecturale est le premier héritage de la phase héroïque du Modernisme ; elle nous incite encore à élaborer de nouveaux moyens d'organiser et d'interpréter l'activité humaine. Des systèmes plastiques très évolués, tels que De Stijl, le Purisme ou le Constructivisme russe, ont incarné l'idée que l'architecture comptait puisqu'elle abordait le problème de la machine, tout en visant une poétique de l'espace. Aujourd'hui, l'expression architecturale la plus convaincante de cette poussée vers l'abstraction se trouve chez les Déconstructivistes. Pour ma part, si je comprends leur prédilection pour la sculpture, et si j'applaudis à leur engagement intellectuel, il me paraît que la nature de leur enquête, et la qualité de leur objets, ne peuvent qu'être à l'opposé du souci que j'ai d'une échelle et d'un lieu spécifiques. L'approche conceptuelle dont se réclament les Déconstructivistes ne laisse aucune place aux considérations physiques. Leur univers n'existe que dans un esprit étranger à l'ordre et à l'hiérarchie que je tiens pour essentiels.

Je m'efforce d'élargir ce que je considère comme les bases formelles du mouvement Moderne. Les architectes du XXe siècle ont ouvert une brèche dans le projet classique, et l'esprit moderne a pu en jouer librement, de sorte que le vécu d'un bâtiment n'est plus figé mais changeant. Le plan libre, la façade libre supprimant les murs porteurs, la démarcation entre la structure et son enveloppe, ont favorisé une exploration volumétrique qui semble toujours renfermer des possibilités nouvelles.

Les promesses et la richesse de prémisses formelles posées par le Modernisme laisse encore place à de vastes champs d'investigation.

Richard Meier

Page de gauche
Richard Meier : maison Ackerberg, Malibu, Californie, Etats-Unis.

Le Post-modernisme

Dans son livre, *Post-modernisme : un nouveau classicisme en art et en architecture*, Charles Jencks a ainsi commenté le mouvement, dont il a été le premier hérault :

"En une vingtaine d'années, le mouvement post-moderne a réussi une véritable révolution dans la culture occidentale, sans faire plus de dommages que de casser quelques grosses têtes. Le post-modernisme a mis en question l'art et l'architecture Modernes, re-situé le positivisme et autres philosophies du vingtième siècle à leur juste place, ressuscité un mode littéraire agréable sans tomber dans le populisme, et freiné la destruction hasardeuse des villes. Dans l'une d'elles au moins, San Francisco, il a mis en place des principes positifs de croissance. Ses effets ont été ressentis dans le cinéma, la musique, la danse, la religion, la politique, la mode et presque toutes les activités contemporaines. Comme toute révolution, elle implique un retour sur le passé autant qu'un élan vers le futur.

Contrairement aux opinions reçues, le post-modernisme n'est ni anti-Moderne, ni réactionnaire. Il prend acte des découvertes de Freud, d'Einstein ou de Henry Ford, et accepte que deux guerres mondiales et la culture de masse fassent désormais partie de notre vision du monde. Ce qu'il refuse, c'est de transformer ces faits en une idéologie univoque. Bref, le post-modernisme reconnaît sa dette au Modernisme, tout en le dépassant et en l'assimilant à d'autres problématiques. Quiconque admet ces prémisses accepte d'être tributaire de deux passés distincts : l'un immédiat, l'autre lointain.

Le préfixe "post" véhicule un certain nombre de connotations contradictoires, dont l'une sous-entend une lutte incessante contre les stéréotypes - la "révolution continue" de l'avant-garde - et donc une sorte de fétichisme du nouveau... En effet, les arguments avancés par Lyotard dans *La condition post-moderne* s'inspirent directement de l'ultra-Modernisme du penseur Ihab Hassan. Craignant "la mort de l'avant-garde" (à l'évidence, une mort qui n'en finit pas), Lyotard entend lui injecter une bonne dose d'adrénaline expérimentale. Il ne devrait pas tant s'en faire : la "condition du Modernisme tardif" se porte aussi bien dans les musées, les sièges sociaux et chez les universitaires que dans la plus grande partie du monde. D'ailleurs, le Modernisme tardif restera une force vive, aussi longtemps qu'il y aura des progrès technologiques, que la jeunesse pratiquera ses contre-défis, et que la société de consommation demeurera tributaire des phénomènes de mode. Mais dans la mesure où il s'inspire de la connotation d'un après-Modernisme, le post-modernisme représente bien davantage : il implique l'établissement de nouveaux liens entre le passé récent et la tradition de la culture occidentale, une tentative pour revoir les postulats humanistes à la lumière d'une civilisation mondiale avec ses cultures pluralistes et autonomes."

Page de gauche
Michael Graves : Dolphin Hotel, Disney World, Floride, Etats-Unis.

Michael Graves

Grâce à un graphisme puissant, une imagination apparemment sans limites, une intelligence capable de superposer différents niveaux symboliques, Michael Graves a marqué le paysage de l'architecture contemporaine de son empreinte. Pour composer ce qu'il nomme des "paysages métaphoriques", Graves combine des sources d'origine différente : cette "manière" produit un commentaire constant sur la culture et, simultanément, la réinvente. Il use de la couleur, soit pour enrichir la valeur métaphorique de ses "paysages", soit, à l'instar des classiques, pour les relier au contexte environnant au moyen d'une sorte de réplique en polychromie. Graves a tout d'abord puisé dans le vocabulaire anthropomorphe de l'antiquité. Il s'est par la suite montré sensible à un vocabulaire plus restreint, et s'est pris à traduire sa connaissance de l'Histoire en termes de régionalisme savant. Dans ses hôtels du Cygne et du Dauphin, à Disneyworld, une répartition tripartite et un maniement intuitif de la palette ont servi à humaniser son architecture - preuve s'il en est que son langage hautement individuel ne souffre guère des changements d'échelle imposés par ses projets récents.

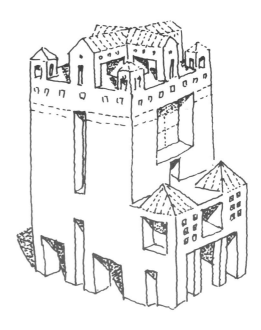

L'immeuble de la Humana Corporation, à Louisville, Kentucky, correspond au développement d'idées expérimentées pour "Portlandia", grâce à l'utilisation accrue de l'échelle verticale, à l'incorporation de décrochements par rapport à l'alignement de la rue, et à l'ajout d'une base à loggias.

Page de gauche et ci-dessus
Siège social de la Humana Corporation, Louisville, Kentucky, Etats-Unis.

Ci-contre
Immeuble administratif de Portland, Oregon, Etats-Unis.

Pages suivantes
Dolphin et Swan Hotels, Disney World, Floride, Etats-Unis.

Venturi, Rauch et Scott Brown

Robert Venturi et Denise Scott Brown ont abordé tous les grands thèmes du débat architectural des vingt-cinq dernières années, soit dans leurs bâtiments, soit dans leurs écrits. Dès la construction de la maison Vanna-Venturi, en Pennsylvanie, et la publication de son livre *De l'ambiguïté en architecture*, Robert Venturi a lancé à travers l'establishment moderniste des ondes de choc dont la force ne peut plus guère être appréciée par ceux qui jouissent aujourd'hui de la liberté d'expression qu'ils lui doivent.

Denise Scott Brown commente ainsi la démarche urbaine de leur équipe : "Il n'y a guère d'architectes ou d'historiens de l'architecture à même de juger des grands principes que nous avons développés, pour la simple raison qu'ils ne possèdent pas, pour la plupart, la culture internationale et interdisciplinaire nécessaire. De plus, les critiques éminents s'intéressent d'abord à l'œuvre bâti ; ils ne sont guère attirés par la pensée sociale ou les images difficiles... Les questions sociales que nous avons abordées de façon explicite, comme dans *L'Enseignement de Las Vegas*, ont été ignorées. Elles sont néanmoins d'une importance cruciale pour notre architecture. Tant qu'elles ne seront pas envisagées, l'incompréhension règnera sur nos travaux et nos écrits. La recherche sur Las Vegas et le projet d'aménagement de South Street ont été menés en même temps ; aussi sommes-nous piqués au vif d'entendre dire que nos idées sur la culture populaire se résument à je ne sais quel "populisme cynique", ou de lire que notre architecture manque de conscience sociale. Les techniques du report de jugement que nous avons préconisées dans *L'Enseignement de Las Vegas*, se proposaient de susciter une évaluation plus nuancée au fil du temps..."

Une connaissance encyclopédique de l'Histoire sous-tend le travail de Venturi et lui donne accès à un éventail infini de sources, allant bien au-delà de l'échelle d'un projet donné.

Page de gauche
Maison sur le Long Island Sound, Stony Creek, Connecticut, Etats-Unis.

Ci-contre
Maisons Trubeck et Wislocki, île de Nantucket, Massachusetts, Etats-Unis.

A côté des sources traditionnelles, auxquelles il est fait appel avec beaucoup de discernement, le contexte joue également un rôle très important dans l'approche de Venturi, Rauch et Scott Brown.

Page de gauche, en haut et en bas
Maison, Seal Harbour, Maine, Etats-Unis.

Ci-dessus et à ci-contre
Maison, Nord du Delaware, Etats-Unis.

O. M. Ungers

O. M. Ungers a réalisé de nombreux projets. Quatre d'entre eux parmi les plus récents se trouvent à Francfort, en Allemagne : la tour de la Foire, le musée de l'Architecture, la Galleria, ainsi que le parc des expositions. La tour et le musée témoignent d'un jeu fascinant de volumes imbriqués et de matériaux contrastés, ce qui leur confère un contenu symbolique et les démarque des productions de la Modernité tardive. A leur propos, Ungers évoque la "double face de l'architecture" :

"Au cours du XIXe siècle, la signification de l'espace intérieur, objet premier de l'architecture, a été sacrifiée sur l'autel de la forme, des styles et de la décoration, aussi l'idée que l'architecture puisse façonner l'espace sera-t-elle perçue plus tard comme une redécouverte ou presque... Mais en fait, l'architecture réside en cette action réciproque entre l'intérieur et l'extérieur, la forme et l'espace, l'enveloppe et le noyau. Ce phénomène renvoie à Janus et à ses deux visages. Les places et les rues de la ville empruntent la forme des bâtiments qui les entourent, et les murs et les supports structuraux délimitent l'espace. Le jeu intérieur/extérieur, structure/peau, est propre à l'architecture ; c'est ce qui la démarque des autres arts."

En soulignant cette qualité, il cherche à rendre à la forme son autonomie, et, pour ce faire, il choisit toujours les formes les plus faciles à saisir par l'œil comme par l'esprit, avec la conviction qu'un système géométrique complet en réduit la complexité et non le contraire. Ainsi, la forme est la conjugaison d'un fait et d'une image idéale qui naît dans l'esprit de l'architecte.

Les contrastes entre le verre, l'acier et la brique créent des oppositions qui rendent plus aiguë la réaction de l'observateur moyen à l'égard de chaque matériau et crée une synergie visuelle. La répétition géométrique formelle concourt à la production de cet effet de coordination.

Page de gauche
Tour de la Foire, Francfort, Allemagne.

Ci-contre
Grand Hall de la Foire, Francfort, Allemagne.

Ci-dessus
Galerie, Francfort, Allemagne.

James Stirling

Doyen officieux de l'architecture britannique, James Stirling a aussi de nombreux partisans à l'étranger, qui guettent chacune de ses œuvres nouvelles avec joie et impatience. Avec quelques autres (tels que Robert Venturi ou Philip Johnson), Stirling est l'un des grands acteurs d'une architecture en transition : non seulement il a survécu aux bouleversements des dernières décennies, mais il y a très largement contribué. Parmi ses premiers projets, ceux pour les universités anglaises de Leicester et de Cambridge sont des tours de force qui s'apparentent au fonctionnalisme pur, en incorporant verre et acier dans la meilleure tradition du Crystal Palace et des serres tropicales. Mais en 1970, il abandonne cette démarche - volte-face qui se lit clairement dans son plan d'aménagement pour la ville de Derby, ainsi que dans le projet qu'il soumettra cinq années plus tard, pour le musée des Beaux-Arts de Dusseldorf ; les deux projets se confondent avec le fragile tissu urbain, de sorte qu'ils semblent en avoir toujours fait partie. La Neue Staatsgalerie, à Stuttgart, qui concrétise ces précédentes expériences, trouve un écho favorable et souligne la distance que Stirling a parcourue en trente ans de carrière. Il s'en est ainsi expliqué :

"Je suis de ceux qui saluent la fin de la phase révolutionnaire du mouvement Moderne. Aujourd'hui, nous pouvons puiser dans toute l'histoire de l'architecture - y compris celle du Modernisme, du *High-Tech*. Les architectes ont toujours avancé en jetant un regard en arrière ; comme les peintres, musiciens ou sculpteurs, nous sommes tenus d'intégrer autant d'éléments figuratifs qu'abstraits dans notre art."

De nos jours, les préoccupations formelles sont passées d'une attitude brutale, qui voulait que la forme suive la fonction, à une géométrie plus agréable, fondée sur des données classiques

Page de gauche et ci-contre
Centre scientifique, Berlin, Allemagne.

137

Au cours de l'évolution de Stirling, ce qui demeure constant, c'est une distribution appropriée des masses et une adaptation aux relations qui se créent au sein du programme.

Ci-dessus
Tate Gallery, Londres, Grande-Bretagne.

Ci-contre
Number One Poultry, Londres, Grande-Bretagne.

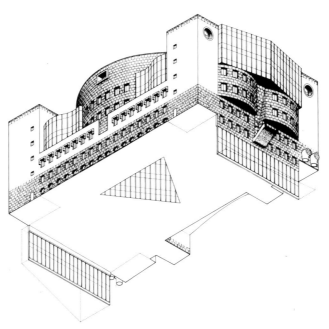

Un usage approprié de la couleur et des matériaux contribue à renforcer ce que l'architecte appelle le caractère "fortuit et monumental" de ses derniers bâtiments publics.

Ci-dessus
Staatgalerie, Stuttgart, Allemagne.

Ci-contre
Immeuble Bracken, Londres, Grande-Bretagne.

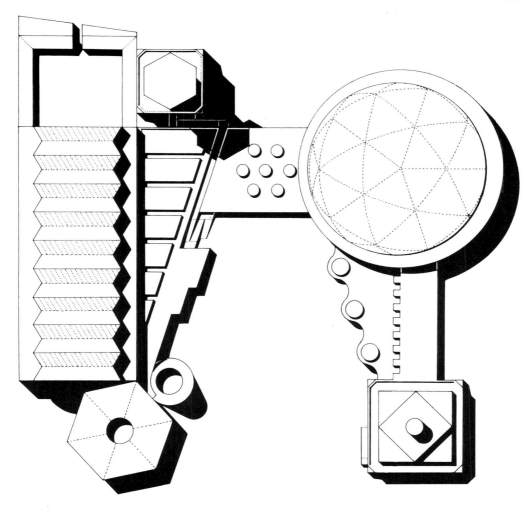

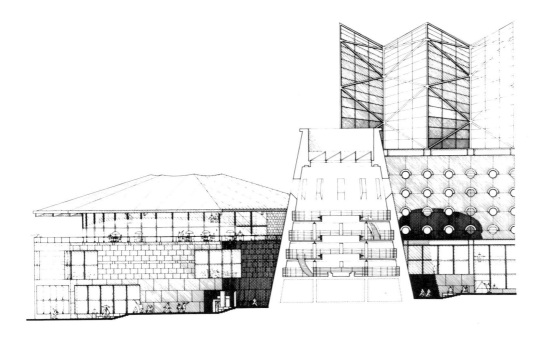

A partir de la réalisation du Centre civique de Derby et du projet pour le musée de Dusseldorf, les formes circulaires vont prédominer dans l'œuvre de Stirling, ce qui entraînera l'exclusion des façades plus agressives de jadis.

Page de gauche, en haut et en bas
Forum international, Tokyo, Japon.

Ci-dessus et ci-contre
Bibliothèque de France, Paris, France.

141

Hans Hollein

Bâti entre 1978 et 1982, le musée de Mönchengladbach est l'une des réalisations remarquables du début de la décennie 1980. C'est aussi un jalon majeur dans la carrière de Hans Hollein, son premier projet de grande envergure. Auparavant, l'architecture de Hollein avait suscité force commentaires quant à la place qu'il était censé occuper dans la tradition viennoise du début du siècle, celle de Wagner, Hoffmann et Loos, des Werkstätte, les programmes municipaux de construction, et de la Sécession. En effet, un souci méticuleux du détail, une grande connaissance des pierres et le don troublant de conjuguer des matériaux luxueux mais sans rapport entre eux, tendent à confirmer cet héritage. A Mönchengladbach, pourtant, il y a une perte perceptible du raffinement esthétique qui marquait ses premiers bâtiments ; et ce n'est que plus récemment que Hollein semble avoir retrouvé ses sensibilités premières. De son projet pour l'opéra de Compton Verney, en Angleterre, il dit :

"Cet ensemble de bâtiments est conçu pour entrer en dialogue avec le paysage et son environnement historique. Un projet d'envergure peut très bien s'intégrer du site - l'histoire de l'architecture en témoigne - tandis qu'un bâtiment de moindre échelle peut être incongru, surtout lorsque sa typologie de base l'apparente à un grand objet".

Sa dernière proposition en date, la maison Haas, à Vienne, indique clairement qu'Hollein possède une conscience aiguë de l'échelle.

Le concept de la géode, dérivé de la masse pierreuse sphérique, à l'intérieur tapissé de cristaux, est employé ici avec autant de persistance que chez Charles Moore, mais la manière dont Hollein se sert des matériaux rend plus frappant encore le contraste ainsi établi.

Page de gauche et ci-contre
Maison Haas, Vienne, Autriche.

143

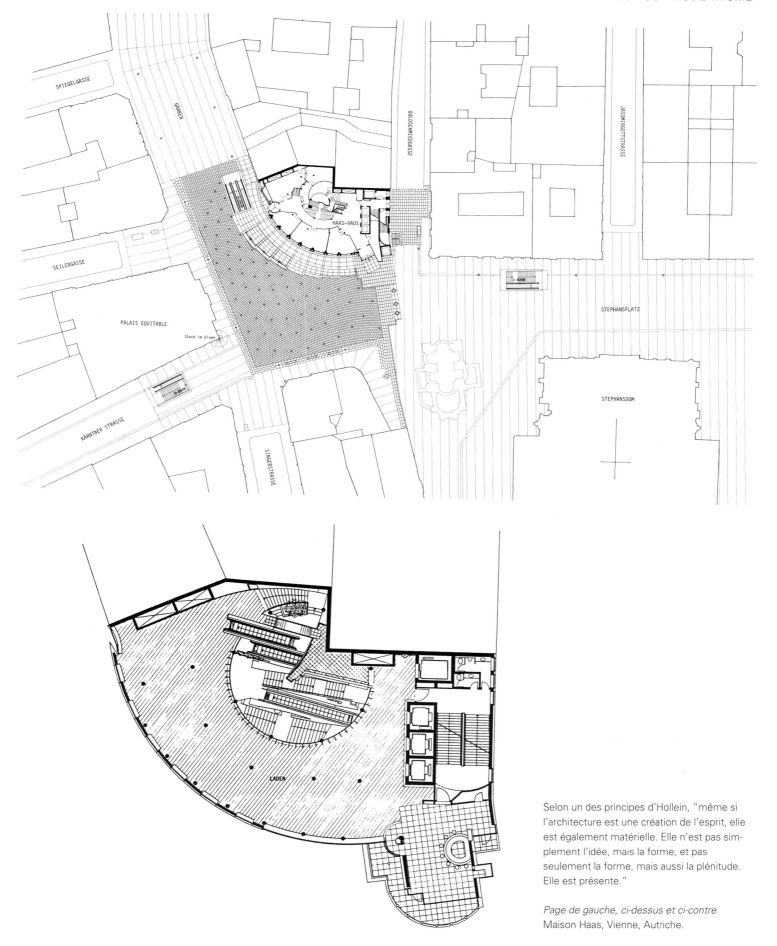

Selon un des principes d'Hollein, "même si l'architecture est une création de l'esprit, elle est également matérielle. Elle n'est pas simplement l'idée, mais la forme, et pas seulement la forme, mais aussi la plénitude. Elle est présente."

Page de gauche, ci-dessus et ci-contre
Maison Haas, Vienne, Autriche.

145

Ricardo Bofill

Depuis une dizaine d'années, Ricardo Bofill et l'agence qu'il a fondée à Barcelone, le "Taller de Arquitectura", consacrent leur énergie à la re-création d'espaces urbains oubliés en établissant une série de logements sociaux très controversés. Des Temples et Arcades du Lac, à Saint-Quentin-en-Yvelines, aux Echelles du Baroque, à Paris, ces efforts s'expriment dans un langage classique et des proportions très exagérées, le tout étant, paradoxalement, construit en béton précoulé et verre-reflet. Le dénominateur commun de tous ces projets est que l'on peut créer un habitat "grandiose" pour le peuple, mais aussi que des techniques avancées peuvent s'appliquer à un style vernaculaire ou classique aussi bien qu'à des constructions Modernes. Cette position est contradictoire, car elle implique le maniement de la citation historique à des fins Modernistes. Pourtant, et malgré la polémique qui continue à faire rage autour de ses projets, les images de Bofill ne traduisent pas seulement une volonté de célébrer les joies de la vie en banlieue ou le rêve monumental d'un empire révolu ; le problème qu'il aborde est avant tout celui d'une réponse appropriée aux aspirations de l'habitant. A cet égard, le logement social est un baromètre particulièrement sensible, les solutions adoptées jusque là ayant été plutôt mal reçues. L'appréciation portée par les occupants des constructions de Bofill montre au contraire que la sagesse traditionnelle gagnerait à analyser ses méthodes.

Une attention rigoureuse accordée aux détails, tant dans la fabrication du béton préfabriqué que dans sa coloration, a permis à Bofill d'atteindre un niveau exemplaire de qualité avec ce matériau.

Page de gauche
Les Echelles du Baroque, Paris, France.

Ci-contre
Logements sociaux du Viaduc, Saint-Quentin-en-Yvelines, France.

Ci-dessus
Palacio d'Abraxas, Marne-la-Vallée, France.

Terry Farrell

Dans la monographie qui lui a été consacrée par Academy Editions, Terry Farrell rappelle que, selon Isaiah Berlin, l'on est soit hérisson, soit renard : le premier s'en tient à une stratégie de jeu fixe, tandis que le second survit grâce à un processus d'adaptation continuelle. Farrell, on s'en doute, est un renard. Il a survécu aux vicissitudes d'une pratique flexible qui cherche à aller au-devant de l'attente du public et même de la précéder. Il reste à savoir pourtant si celui qu'on a appelé "le premier architecte post-moderne d'Angleterre" pourra résister aux évolutions du mouvement auquel il est si étroitement associé. Il est d'ailleurs difficile à croire aujourd'hui que le bâtiment qui l'a rendu célèbre sur le plan international - les studios de télévision TV AM, à Londres -, et qui est devenu depuis une des icônes du post-modernisme, ait été construit au début de cette décennie turbulente ! A présent, cependant, nous nous rendons compte que la démarche de Farrell, en s'attaquant à ce bâtiment existant, a été d'abord celle d'un pragmatiste. Selon le critique Colin Amery, cette facette de son art risque de lui être utile à l'avenir, car : "si Farrell a la faveur du public, c'est parce que l'un et l'autre partagent la volonté de protéger l'environnement urbain au moyen d'une architecture de plus en plus sensible au contexte. Farrell serait le premier à reconnaître volontiers que le public est en avance sur les professionnels". Ce qui augure bien de sa capacité à s'adapter aux conditions futures.

Nombre de réalisations de Farrell, telle celle d'une agence de la Midland Bank, entre Fenchurch Street et Charing Cross Station, attirent le regard, car elles s'insèrent dans un cadre urbain très animé.

Page de gauche et ci-contre
Midland Bank, Fenchurch Street, Londres, Grande-Bretagne.

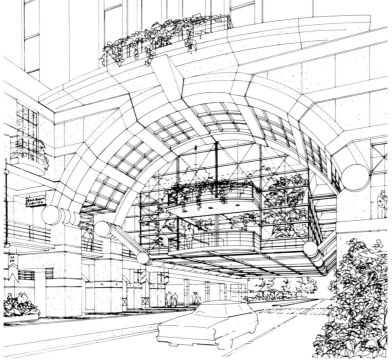

Les contrastes dans le détail du parement en pierre des façades et des voûtes, ainsi que le jontoiement intégral constituent la signature de ce designer que l'on considère dans son pays comme le "prince des architectes".

Page de gauche (en haut) et ci-dessus
Embankment Place, Londres, Grande-Bretagne.

Page de gauche (en bas)
Comyn Ching, Londres, Grande-Bretagne.

Ci-contre
Lee House, Londres, Grande-Bretagne.

Charles Vandenhove

Quand on évoque la Belgique, il vient à l'esprit des images d'une architecture urbaine minutieuse et d'une campagne intacte et bucolique. Le pays a pourtant durement souffert du deuxième conflit mondial et n'a pas non plus été épargné par les effets négatifs d'une croissance effrénée. Tandis que des architectes comme les frères Krier tentaient de leur proposer des remèdes sous forme de manifestes et de polémiques, Charles Vandenhove travaillait patiemment aux mêmes objectifs dans le silence et la discrétion.

L'œuvre de Vandenhove se distingue par quelques caractéristiques essentielles. L'architecte est parvenu à enrichir de manière substantielle le langage d'une architecture sensible à son contexte urbain en raffinant les méthodes de construction conventionnelles sans chercher à ressusciter un artisanat évanoui : en usant du béton précontraint, de la brique et du bronze, Vandenhove rétablit un lien direct avec le passé grâce à la qualité de leur traitement et non en visant à doter les détails d'une authenticité illusoire. Vandenhove invente un nouveau mode d'ornementation adapté aux modes de production actuels. Cette liberté inventive s'applique aux ordres classiques dont il use volontiers, mais de manière plus symbolique que littérale. Bien que Vandenhove ne craigne pas d'employer les techniques modernes de la construction, il répugne à se servir de la structure comme articulation d'un espace unique ainsi que le pratiquent les Modernes. Il s'efforce au contraire d'établir un lien de continuité avec les bâtiments voisins. En celà, il participe à la réhabilitation de la notion d'un ordre qui, au-delà de l'objet architectural, s'étend à la ville entière.

L'architecture de Charles Vandenhove possède un extraordinaire caractère d'intemporalité, qui lui donne l'air d'être le simple prolongement au cadre dans lequel elle s'insère, même si elle n'en copie pas servilement le style.

Page de gauche
Projet du Zuid Singel, La Haye, Pays-Bas.

Ci-contre et ci-dessus
Maison de la Danse, Paris, France.

153

Nigel Coates

L'œuvre de Nigel Coates a été présentée récemment à la radio anglaise, comme "une perte pour Londres, un gain pour le Japon". Au cours de la même émission, l'architecte chantait les louanges des Japonais, pour leur penchant à l'impermanence architecturale et leur goût des idées nouvelles. L'Orient s'est avéré un remarquable catalyseur de l'art des architectes. Coates semble à l'aise à Tokyo, où la permanence et la solidarité du passé ont cédé devant les impératifs de la spéculation immobilière. Coates s'est résigné très vite à ce que ses projets aient une espérance de vie des plus brèves - d'ailleurs, il juge ses bâtiments comme des "situations", aussi éphémères que celles des rencontres accidentelles qui s'y succèdent : intéressantes tant qu'elles durent, mais néanmoins fortuites, et vite oubliées. Poursuivant sur le thème de la "sensibilité" contemporaine, Coates estime que l'architecture relève d'une idée dont la "phase bâtie" ne constitue qu'un bref épisode. Parfois de telles idées procèdent d'un commentaire ironique sur la temporalité, et il en est ainsi de son projet du "Mur", à Tokyo, qui semble incongru par son expression de permanence dans un contexte changeant. Du simple fait qu'il affecte une stabilité ostentatoire, le "Mur" soulève effectivement la question de la coïncidence tout en se posant en simulacre qui révèle dans sa forme le mensonge de sa présence. Coates exprime le vœu que son travail au Japon suscite des commandes dans son pays d'origine ; on peut se demander toutefois si sa problématique de l'impermanence pourra traverser les mers.

Evocatrice de l'atmosphère martienne de *Total recall*, les combinaisons ad hoc de matériaux effectuées par Coates tendent vers le surréel.

Ci-contre
Caffè Bongo, Tokyo, Japon.

Page de gauche
Bohemia Jazz Club, Tokyo, Japon.

Post-modernisme et discontinuité

En célébrant dans son livre fameux *Complexité et contradiction en architecture* la notion d'ambiguïté, Robert Venturi a fait de 1966, l'année-clé du renversement des tendances de l'époque. Depuis lors, la discontinuité fait partie de la stratégie poétique des post-modernes. Des artistes "pop" comme Richard Hamilton et Robert Rauschenberg intégraient déjà cette notion dans leurs collages et leurs assemblages ; architectes et théoriciens prêtaient au collage les vertus du pluralisme et de l'autonomie culturelle et l'appréciaient pour ses qualités diamétralement opposées à celles du minimalisme et de la poussée universaliste du style international. L'esthétique Moderne de l'intégration sociale et du "bon goût" était désormais perçue comme impérialiste - ou du moins bourgeoise et méprisante - dans la mesure où elle menait au refoulement des cultures minoritaires.

L'urbanisme bureaucratique avait marqué presque toutes les villes rénovées ; en matière de peinture, l'abstraction tardive ou *Abstract Expressionism* de Pollock, Rothko et Newman était devenue une sorte d'orthodoxie esthétique, à l'exclusion de toute autre démarche.

L'immeuble CBS de Eero Saarinen, terminé en 1965 à New York, participait des deux tendances. C'était un bâtiment parfaitement intégré, avec des lignes abstraites, une architecture simplifiée et des aménagements fades mais irréprochables. C'était du fascisme esthétique. Pourtant, ce n'est pas la protestation post-moderne qui a fini par tuer cette architecture de bon ton, mais l'ennui indescriptible qui accompagnait sa réussite.

Rien ne pouvait être pire que cet ennui. C'est ce qui explique sans doute la réussite du nouveau livre de Venturi, perçu à l'époque comme une bouffée d'air frais. Non seulement les illustrations étaient dramatiques, mais Venturi affrontait le problème urbain de manière satisfaisante en admettant des contradictions et des discontinuités de goût et d'usage - par exemple, les pressions diverses, internes ou externes qui président aux destinées d'un bâtiment, que les Modernes auraient tout simplement gommées en faisant valoir le principe de "l'intégrité de la structure et la vérité des matériaux". Mais Venturi laissait entier un problème de taille, que les philosophes n'allaient pas manquer de signaler : tout peut être inféré d'une proposition contradictoire. Lorsqu'on débute et termine dans la contradiction, non seulement les enjeux sont moindres, mais il devient quasi impossible d'élaborer un langage architectural cohérent. Ce problème explique pourquoi le livre se termine par un chapitre intitulé "L'obligation du tout difficile" - il faut toujours tenter de trouver une unité possible parmi les différents langages si l'on veut leur donner un sens. Sinon, l'éclectisme risque de dégénérer en un collage fuyant et donc insignifiant.

Plus récemment, le philosophe Jean-François Lyotard a défini la *condition post-moderne* (1979) comme une sorte de guerre perpétuelle

Page de gauche
James Stirling, Michael Wilford and Associates : centre dramatique, université Cornell, Ithaca, New York, Etats-Unis.

entre divers jeux de langage : si aucun "méta-récit" religieux, politique, social ou esthétique ne peut commander l'assentiment de tous, le pluralisme devient inévitable, et même souhaitable. La guerre que Lyotard déclare aux "totalités" semble néanmoins quelque peu obsessionnelle, et mène parfois à une orthodoxie aussi pesante que celle de son adversaire - la culture bureaucratique du consensus. C'est comme si la différence, "l'altérité", la discontinuité et la pluralité des langages ne pouvaient susciter qu'un babil incompréhensible, un "jeu de langages" cacophoniques qui, ainsi, se neutraliseraient.

Il faut regarder les travaux récents de James Stirling et de Jeremy Dixon dans ce contexte.

James Stirling affirmait récemment qu'il s'intéressait aux vertus de "l'inconséquence" - une série de discontinuités induites par les pressions contradictoires de la ville et de nos propres besoins. Son extension de la Tate Gallery, à Londres, la Clore Gallery, pousse l'inconséquence à des degrés inouïs de poésie. Au lieu de créer des façades consonantes et différenciées, telles celles de n'importe quel bâtiment "urbain", Stirling pratique l'éclatement à l'intérieur d'une seule et même façade. Il considère la Clore Gallery comme un "pavillon de jardin", y crée une pergola et des treillis symboliques, et lui donne ainsi un aspect épisodique et informel, voire pittoresque. Tout de même, à ma connaissance, il n'existe aucun pavillon dont le thème formel change sept fois, et où de telles coupures soient pratiquées sur une même façade. Les changements de thème ou de matériau interviennent d'habitude aux angles, où la rencontre de deux surfaces peut être marquée. Au contraire, Stirling accentue partout la discontinuité de l'édifice, que ce soit dans les détails ou sur les grandes surfaces composées. Aussi peut-on être sûr que ces discontinuités renvoient à une intention polémiste. Que signifient-elles ?

D'abord, ainsi que le souligne Stirling, elles permettent de relier les éléments significatifs de la Clore Gallery à ceux des bâtiments environnants - la corniche et les matériaux de la Tate Gallery, les briques de la loge et de l'hôpital tout proches. La pergola fait écho aux pierres en bossage du bâtiment-mère, et ses proportions sont également en rapport avec les leurs. Une démarche plus littérale aurait suscité une incongruité plus marquée, et une confrontation sans issue entre le baroque Edwardien et une structure en briques, entre un palais et une maison. Au lieu de cela, deux éléments distincts viennent agir en médiateurs dans cette confrontation : l'"ordre" nouveau d'une grille de pierres neutre, et une série de thèmes qui se chevauchent afin d'éviter une rupture trop évidente, une comparaison trop désastreuse.

Ces façons d'opérer illustrent bien la théorie du pluralisme et la pratique du contexte. Qu'elles aient ou non le dernier mot quand il s'agit de résoudre le problème de l'adaptation aux éléments disparates de notre milieu, elles représentent l'amorce d'une nouvelle règle à propos de cette question typiquement urbaine, et il faut les comparer aux pratiques schizophréniques du XIXᵉ siècle (façade publique à l'avant, façade privée à l'arrière, ou, dans le cas de la gare victorienne, l'hôtel de fantaisie qui cache un hangar utilitaire), à la table rase des Modernes, ou à l'intégration classique qui gommerait les divers éléments du site et récuserait ainsi son véritable pluralisme. Stirling parle d'une "conversation architecturale" entre les diverses parties du bâtiment, puis entre les bâtiments. Il a eu l'idée tout à fait plausible d'inventer un jeu de langage - l'ordre de carrés en pierre - qui participe de ceux des alentours : Baroque classique à gauche, "vernaculaire" en briques à droite, Bauhaus fonctionnel à l'arrière. Si ce quatrième langage, sorte d'espéranto, est moins conventionnel que les trois précédemment utilisés, il s'inspire néanmoins des technologies contemporaines et d'une analyse fonctionnelle plausible. Comme pour souligner le côté non-conventionnel de la Clore Gallery, Stirling y insère une série de ponctuations discordantes - les baies vitrées angulaires, ou les portes et les nervures des fenêtres, d'un vert éclatant - qui se démarquent par rapport aux surfaces contiguës de manière encore plus spectaculaire que "l'ordre" des carrés ne le fait par rapport aux bâtiments alentour. Enfin, pour ceux qui s'imaginent que cette discontinuité est fortuite, Stirling la souligne encore en cassant les rythmes de "l'ordre" de part et d'autre de l'entrée principale, et par l'absence de maçonnerie aux angles, où on l'attendrait le plus. Ici, les briques semblent être suspendues comme par miracle, accentuant leur rôle de symbole et non de structure porteuse.

A l'intérieur, "l'ordre" reprend son unité et sa discontinuité, rythmant les murs comme un jeu de pilastres. L'espace ainsi défini relève à la fois de Le Corbusier et d'Aldo Rossi : les contrastes violents de la triple hauteur se conjuguent à une sorte de sérénité austère.

On ignore encore si ce jeu exhaustif de juxtapositions et de dissonances feront de la Clore Gallery un musée réussi ; mais, vraisemblablement, elle constitue un apport majeur à l'urbanisme post-moderne, un défi que d'autres professionnels commencent à relever. Le projet pour l'extension de la Royal Opera House, à Londres, de Jeremy Dixon, en est sans doute l'exemple le plus frappant. A l'instar de la Clore Gallery, Dixon intègre trois langages distincts sur les quatre faces d'un site urbain complexe. Pour la façade qui donne sur Covent Garden, acceptable pour tous, Dixon reprend l'ordre toscan de cette piazza classique, tout en le conjuguant à une maçonnerie caractéristique du XVIIIᵉ siècle londonien. Seules quelques inflexions subtiles viennent rompre l'harmonie : ici, une série de vides rectangulaires qui éclairent l'arcade et s'inspirent de ceux de la galerie des Offices, à Florence ; là, une loggia au cinquième étage, d'où le public peut admirer tout un paysage de toitures post-modernes, et même la baie vitrée en saillie de Stirling.

En construisant cette "harmonie dissonante", Dixon rejette tous les modèles globalisants d'aménagement urbain, préférant évoquer la "ville sédimentaire" - celle qui se construit dans la durée. En effet, affirme-t-il,

A partir du coin du bâtiment, l'"ordre" carré cède peu à peu la place, en diagonale, à un appareil de briques, afin de répondre à l'immeuble en briques, qui s'élève sur la droite de l'image. La diagonale évite une rupture brutale, à la verticale, avec le quadrillage en stuc. Les baies en angles biais rappellent un peu l'usage qu'en faisait Breuer, car elles rompent le rythme de quadrillage et de pergola pour donner vue sur la Tamise.

James Stirling, Michael Wilford and Associates : Clore Gallery, Londres, Grande-Bretagne.

159

s'il faut bâtir des pans entiers de l'environnement urbain, mieux vaut alors leur donner un aspect disparate, comme si plusieurs architectes les avaient destinées à une clientèle hétéroclite. Le contraste avec l'imagerie intégrée d'un Foster ou d'un Rogers est on ne peut plus frappant. Si Dixon réussit à imposer individualisme et autonomie - comme il le fait aussi dans ses projets de logements - sur une réalité toute autre, nous pouvons applaudir à ce "mensonge" dans les deux cas.

Bien sûr, il ne s'agit que de contre-vérités partielles. Les formes discontinues sont l'expression de fonctions diverses, et Dixon s'efforce de trouver, pour chacune d'elles, un langage approprié. Mais ici comme ailleurs, il privilégie la réalité urbaine au dépens de l'évocation des espaces intérieurs. Ni le centre commercial, ni l'accès latéral au foyer et à l'escalier monumental, ne sont représentés en façade, alors que les petites boutiques et les bureaux le sont. Comme à la Tate Gallery, les rapports avec le tissu environnant sont plus figuratifs que littéraux.

Du côté de Russell Street, le langage change du tout au tout, abandonnant le classicisme des pierres blanches pour un autre plus austère, post-moderne, avec des cercles découpés, des frontons tronqués et une corniche aplatie. La coupure entre les deux systèmes est exacerbée par le rythme des ouvertures et les changements d'ordre ; la façade "se décolle" à divers endroits, accentuant sa minceur et sa raison d'être en tant que représentation urbaine. La raison en est simple : une façade absolument régulière, s'étendant jusqu'aux angles et sur toute la hauteur, aurait écrasé une rue aussi étroite.

La "peau" épisodique de la façade sur Russell Street se termine par une "tour circulaire" qui, en fait, est tout sauf cela : les fenêtres en bande se décalent vertigineusement entre elles, renforçant l'horizontalité d'une masse trapue plutôt que verticale. L'intention était de créer un rapport visuel entre la "tour" curviligne et la tourelle située en face. Si le pari avait été tenu, la piazza aurait sans doute gagné un cadre et une porte d'entrée réussis ; mais la stratégie de la discontinuité semble avoir été pratiquée à mauvais escient, et le choix d'un traitement à la moderne relève sans doute de l'entêtement.

Entre Russell Street, Bow Street et l'Opéra lui-même, le vocabulaire change deux fois encore, alors que la façade s'infléchit pour s'adapter aux alignements de la rue. Là encore, il s'agit d'une mince peau classique/post-moderne, se "décollant" par endroits pour laisser entrevoir une masse plus importante en arrière-plan.

Toutes les façades mettent en pratique un même concept : un jeu formel d'éléments discrets s'étend sur chacune d'elles jusqu'à la silhouette du toit, qui, tout en étant plus informel, laisse deviner l'unicité du projet. Dixon entretient ici l'illusion d'une série de commerces et d'immeubles de taille réduite, par rapport à la réalité d'une seule commande institutionnelle. En divisant ses façades en cinq thèmes discontinus, il parvient non seulement à créer une cohérence urbaine que l'échelle même du projet semblait exclure, mais à lui donner aussi une qualité symphonique. Même en lisant cette "partition" dans les deux sens, elle garde une ordonnance symphonique - celle de la sonate allegro - qui parvient à un "finale" aux deux extrémités. L'analogie musicale, qui s'est beaucoup inspirée du projet de Stirling pour la Meineke Strasse, à Berlin (1976), avec introduction du thème, exposition, élaboration, récapitulatif et coda, est désormais l'un des paradigmes les plus puissants de l'urbanisme actuel. Ses qualités sont sans doute supérieures aux modèles globalisants des Modernes tardifs, mais, comme tout paradigme, elle a ses limites. A défaut d'un principe régulateur et d'un objectif réel, la discontinuité et la fragmentation tendent à créer une totalité et un ennui tout aussi prévisibles que La Ville Radieuse de Le Corbusier. De toute évidence, les stratagèmes de collage requièrent une hiérachie et un ordonnancement complémentaires, si l'on veut qu'ils soient vraiment efficaces. A cet égard, on peut noter une lacune dans le projet de Stirling comme dans celui de Dixon : on y distingue aucun crescendo symbolique ou ornemental, aucun programme iconographique clairement établi, la création d'aucun centre.

Ce problème caractérise bien sûr toute l'architecture d'aujourd'hui. Il ne tient pas qu'aux insuffisances inhérentes à la stratégie du collage, même si cette démarche peut aggraver son cas. La pratique de plusieurs styles et motifs comporte le risque que ces différents langages ne s'imposent qu'au prix du sens architectural. Le concept d'intertextualité, image d'Epinal de la littérature post-moderne, nous apprend que s'il y a trop de textes, il n'y a plus d'auteur. Dans toute production architecturale d'envergure ; l'architecte et son client sont condamnés à élaborer ensemble, et de manière explicite, le fil de leur histoire, qui autrement se perdrait dans des jeux de langage professionnels - dans la guerre implicite que Lyotard affirme être la condition du post-modernisme. Cette position renvoie à l'idée que nulle personne, nulle idéologie, nulle religion actuelle ne parle avec conviction. Pourtant, cette notion vraisemblable ne mène pas inéluctablement à un art ou à une architecture de frustration, à des actes qui se neutralisent par leur incompatibilité - il existe encore un terrain d'entente, même entre individus et cultures très différents. Le défi consiste à rechercher ce terrain d'entente, et à lui donner une expression artistique et symbolique.

En conclusion, on peut dire que la discontinuité est une stratégie légitime, à notre époque pluraliste, car elle exprime les "contradictions" et les "incohérences", comme le soulignent Venturi et Stirling, mais sa valeur reste limitée, et elle sera toujours insuffisante tant qu'on n'y associera pas une symbolique ou un fil conducteur.

Charles Jencks

L'extension de l'Opéra modifie le langage de Russell Street, à Londres. L'arcade est supprimée et une mince "couche" de classicisme post-moderne vient recouvrir les boutiques, afin de leur conférer une informalité comparable à celle des façades de l'autre côté de la rue. Pourtant, l'entrée des bureaux dans la "tour" ronde n'apporte pas de réponse satisfaisante à la tourelle verticale d'en face et rate également l'occasion de fournir un accès digne de ce nom au square qui s'étend derrière l'immeuble. En revanche, elle crée un effet positif de "flèche", à l'angle, et donne de l'élévation aux lignes des fenêtres horizontales.

Page de gauche
Jeremy Dixon : Extension de l'Opéra royal, Londres, Grande-Bretagne.

Le post-modernisme japonais

Kisho Kurokawa et Arata Isozaki, tous deux élèves de Kenzo Tange occupent une place prépondérante dans la post-modernité japonaise.

Kurokawa fut d'abord le plus radical des Métabolistes dans son analyse des systèmes de croissance et de mutation urbaines. Plus récemment, il s'est attaché à récupérer les valeurs culturelles de la tradition de son pays et à les traduire en termes architecturaux chargés de symbolique. Kurokawa s'en explique dans son livre intitulé *L'architecture interculturelle - la philosophie de la symbiose* :

"Ambiance, émotion et atmosphère relèvent d'un ordre symbolique sans structure établie ; elles sont suscitées par le truchement de relations et de juxtapositions croisées et dynamiques à travers le rapport d'un signe avec d'autres éléments symboliques proches, le changement de contenu qu'opère la citation ou l'existence d'un espace interstitiel commun à divers éléments, ou enfin la relation des parties au tout. En architecture, les signes et leurs frottements sont multivalents et ambigus. Le sens de l'émotion et de l'atmosphère rapproche l'architecture de la création poétique."

Le centre municipal de Tsukuba est sans doute un des bâtiments les plus remarquables qu'ait conçu Arata Isozaki. Il témoigne à quel point l'architecte a diversifié ses sources : Tsukuba emprunte à Michel-Ange, Michael Graves, Charles Moore et Robert Venturi et bien d'autres. Dans ses projets plus récents, comme celui du musée d'Art contemporain, à Los Angelès, Isozaki approfondit des thèmes formels récurrents dans son œuvre comme l'usage du cube et de l'arche tout en explorant les ressources de la conception assistée par ordinateur.

Comme la plupart de ses collègues, Kazuo Shinohara est sensible au chaos urbain de la ville de Tokyo. Sans en faire les louanges, il en accepte les conditions qu'il décrit comme celles d'une "anarchie progressive". Son auditorium du centenaire les assume en créant ce que Shinohara donne pour "les conditions de l'espace des cités futures".

Hiroshi Hara est confronté au même désordre urbain. Il y répond en élaborant ce qu'il appelle des "paysages fabriqués", s'interroge sur le rôle que peuvent jouer de tels paysages dans le contexte urbain ainsi que celui de la métaphore et, plus précisément, de la métaphore "naturelle" dans le champ architectural. Son bâtiment International Yamoto, à Tokyo, en est un témoignage. La métaphore, ici, fait surgir des images de montagnes, de ciel et de mer.

Shin Takamatsu est loin des métaphores naturelles. Son architecture évoque plutôt des machines de science-fiction ou des engins spatiaux. A cette esthétique machiniste s'ajoute ce que le critique Hajimi Yatsuka a appelé le "ritualisme symbolique des Japonais". L'œuvre de Takamatsu donne la mesure des influences conflictuelles, mêlant le passé, le présent et le futur, qui caractérisent l'architecture japonaise contemporaine.

La reconnaissance primordiale du formalisme, qui a toujours joué un rôle dans l'architecture japonaise traditionnelle, court tel un fil rouge dans la trame de tous les projets et réalisations présentés ici.

Page de gauche
Kisho Kurokawa : musée d'Art contemporain, Hiroshima, Japon.

163

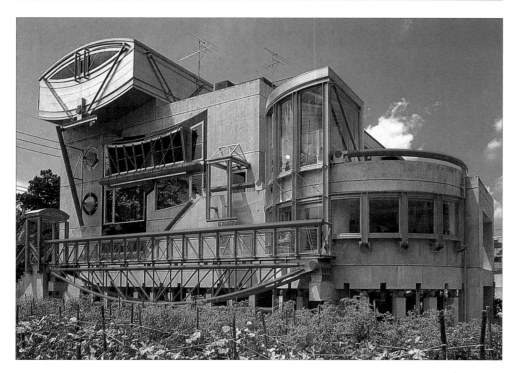

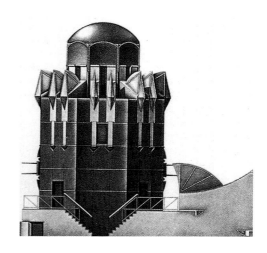

La réponse à la croissance urbaine, qui se manifeste au Japon comme dans tous les pays industrialisés, se veut appropriée, mais on remarque qu'elle diffère dans chacune de ces interprétations.

Page de gauche
Arata Isozaki : Conseil municipal, Phoenix, Arizona, Etats-Unis.

Ci-contre, en haut
Kazuo Shinohara : TIT Centennial Hall, Tokyo, Japon.

Au centre
Hiroshi Hara : Yamato International Building, Tokyo, Japon.

En bas
Shin Takamatsu : immeuble Week, Kyoto, Japon.

Ci-dessus
Shin Takamatsu : Origin III, Kyoto, Japon.

Déconstruction et architecture

Dans le champ de l'architecture, il est peu d'idées qui aient suscité un débat aussi vif que celle de la déconstruction. Jacques Derrida lui-même, qui en a été le chantre dans les domaines qui lui furent d'abord réservés, la philosophie et la littérature, demeure stupéfait de la rapidité avec laquelle cette forme de pensée a imprégné d'autres disciplines. C'est grâce aux efforts d'architectes-théoriciens, tels Bernard Tschumi et Peter Eisenman, que la Déconstruction a fait son entrée dans le domaine architectural.

La Déconstruction remet en question la pensée binaire (ou polaire). Comme le plaide Peter Eisenman, il est temps que les "architectes prennent leurs distances à l'égard de dialectiques figées - par exemple, l'opposition traditionnelle entre structure et décoration, abstraction et figuration, figure et fond - et situent leurs recherches entre ces catégories". Selon la stratégie de la différence (un mot qui joue sur l'ambiguïté du verbe "différer"), la Déconstruction reporte le sens d'une proposition donnée et en désarticule la signification. Bernard Tschumi appelle "à analyser le sens inhérent à nos concepts, et ce qu'ils refoulent ou dissimulent à travers leur histoire".

Les théories de la Déconstruction doivent beaucoup aux Constructivistes russes des années 1920, de sorte que l'on parle aussi de "Déconstructivisme". En 1988, deux expositions, à Londres et à New York, ont consacré les aspects philosophiques et plastiques du phénomène sans que cessent pour autant les controverses qu'il soulève. Bien que la Déconstruction architecturale en soit encore à ses débuts, les images qu'elle inspire sont d'une fraîcheur et d'un dynamisme doués d'un grand pouvoir de séduction. Comme l'a souligné Derrida dans ses propos sur l'architecture, "on ne peut pas écarter les valeurs de l'habitat, du fonctionnel, du beau. Il faut les réinscrire, si j'ose dire, dans une forme et un espace nouveaux, tout en éliminant leur hégémonie extrinsèque".

La Déconstruction ne se borne pas à dessiner un cadre de travail. Elle se veut critique et auto-critique, pratique, ouverte plutôt que méthode satisfaite de sa propre légitimité.

Andreas Papadakis

Page de gauche
Zaha Hadid : Restaurant de la Mousson,
Tokyo, Japon.

Peter Eisenman

Un des aspects les plus remarquables de l'œuvre de Peter Eisenman réside dans le fait qu'elle est l'illustration d'un modèle théorique précis du dilemme Moderniste. Selon Marshall Berman, il existe une clé qui permet de sortir de ce dilemme : c'est que, pour être moderne, l'ère post-industrielle devra faire face simultanément à des capacités techniques inouïes et à des risques de destruction sans précédent, procédant du "tourbillon de la désintégration et du renouveau perpétuels" qui caractérise notre époque. Eisenman distingue entre la nécessité d'exprimer "la sensibilité Moderne" d'une part, et la doctrine fonctionnaliste du mouvement Moderne, qu'il considère comme un relent humaniste de la période pré-industrielle. En choisissant une esthétique véritablement moderne, Eisenman a élaboré une architecture "décentrée" qui nie la fonction pure et son expression formelle directe. Alors que ses premières maisons individuelles - numérotées de I à X - s'inspiraient d'une syntaxe supposant la présence autant que l'absence, ses derniers projets font appel à des formes qui, à la différence des solides platoniciens, n'ont pas de centre clairement identifiable, et s'adaptent donc très bien à sa position "post-fonctionnaliste". Aujourd'hui, il construit de plus en plus en dehors du domaine de l'architecture domestique : on saura bientôt jusqu'à quel point il maintiendra une telle position ; pour le moment, on se contentera de citer un passage de Dostoïevski qui résume assez bien le dilemme Moderniste, et semble adapté aux travaux récents de Eisenman :

"Que l'homme adore créer (...), c'est incontestable. Mais il se peut (...) qu'il ait peur d'atteindre ses objectifs, et de compléter l'édifice qu'il construit. Qui sait ? Peut-être n'aime-t-il cet édifice que lorsqu'il le voit de loin ; peut-être voudrait-il le construire sans l'habiter..."

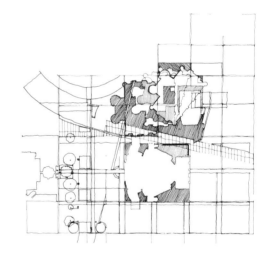

Dans chacun de ses projets les plus récents, Peter Eisenman manifeste clairement de l'intérêt pour l'"intervalle" et le "décentrage", qui guident aujourd'hui son travail, et il s'efforce de conserver une attitude post-fonctionnelle, bien qu'il aborde des commandes officielles, plus importantes.

Page de gauche, ci-contre, ci-dessus et pages suivantes
Centre Wexner des arts visuels, Columbus, Ohio, Etats-Unis.

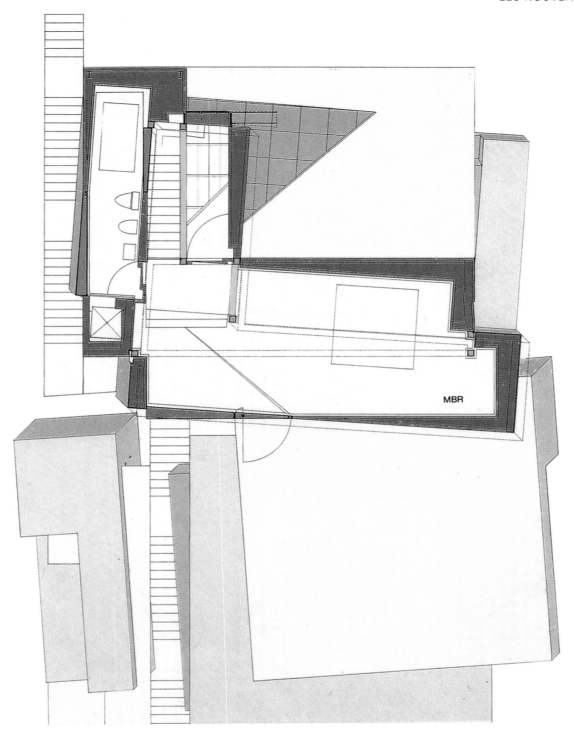

MBR

Page de gauche
Logements sociaux, Kochstrasse, IBA, Berlin,
Allemagne.

Ci-dessus
Maison Guardiola, Santa Maria del Mar,
Espagne.

Zaha Hadid

Zaha Hadid a acquis une réputation internationale à l'issue du concours pour le Peak Club de Hong Kong, en 1983, concours dont elle fut la brillante lauréate. Dans l'introduction au catalogue d'une exposition qui lui fut consacrée à Tokyo, l'architecte japonais Arata Isozaki a évoqué le rôle décisif qu'il avait joué dans le choix de son projet. Au-delà des machinations qui sont le lot d'un grand concours international, Isozaki explique les raisons de son adhésion : il a été touché par l'originalité de l'expression et par la force de sa logique, conséquences directes d'un mode de présentation inusité sous forme de composition suprématiste. Dans sa conclusion, Isosaki commente la relation entre Hadid et le Suprématisme et fournit un bon aperçu du sens dans lequel devait évoluer le travail de l'architecte par la suite : "Les principes de déploiement de son style violaient et déconstruisaient le programme architectural. Autrement dit, elle s'était livrée aux forces inhérentes à ce style, dans une composition sans précédent".

Les "forces" auxquelles Isozaki fait référence constituent une allusion explicite au travail du peintre Kazimir Malévitch, inventeur du Suprématisme. Pour ce dernier, elles tendent à l'élaboration d'un domaine jusqu'alors inexploré - celui de la quatrième dimension -, qui doit permettre la représentation d'un "sémaphore de couleurs" sous forme d'une série de plans géométriques "flottants", sans limites dans l'espace.

Dans son processus de conception, Hadid s'est ainsi libérée du carcan de la pesanteur, vieil ennemi de l'architecte. Le Suprématisme lui permet d'user d'un graphisme spectaculaire, libre des contraintes fonctionnalistes. Lorsque les formes retrouvent les lois de la pesanteur, elles gardent inscrite en elles la mémoire de leur liberté originelle.

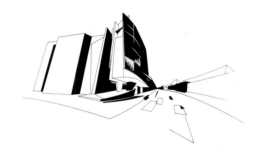

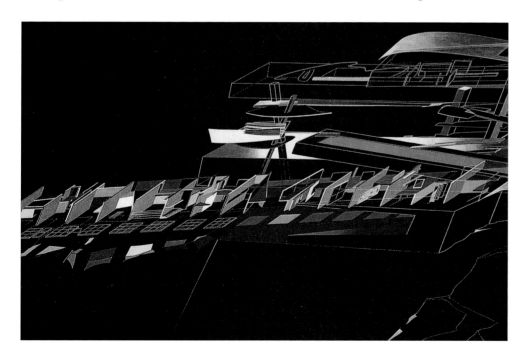

Les perspectives choisies exagèrent la taille du bâtiment projeté, et par la même occasion, le sentiment de puissance qu'il va donner.

Page de gauche
Logements sociaux,Kochstrasse, IBA, Berlin, Allemagne.

Ci-contre
Peak Club, Hong Kong.

Ci-dessus et pages suivantes
70, Kurfürstendamm, Berlin, Allemagne.

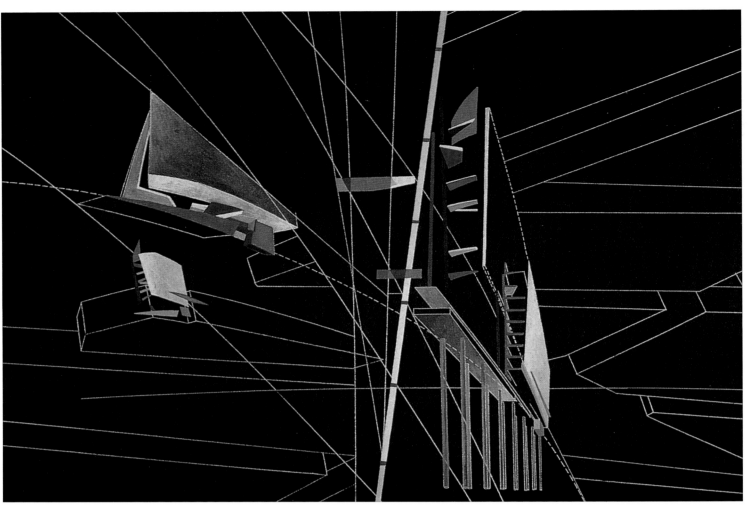

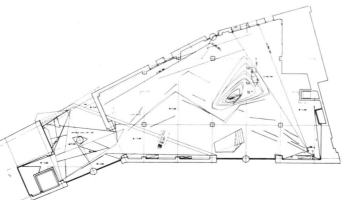

Quelle que soit leur qualité, les reproductions à échelle réduite ne peuvent se comparer à une peinture originale de la future réalisation, quand il s'agit de donner une idée de ses couleurs éclatantes et de ses proportions impressionnantes.

Page de gauche, ci-contre et ci-dessus
Restaurant de la Mousson, Tokyo, Japon.

179

Bernard Tschumi

En usant des techniques "dissociatives" pour le *Jardin de James Joyce* et les *Manhattan Transcripts* il y a déjà plus d'une décennie, Bernard Tschumi jetait un pont entre la littérature et l'architecture, et s'affirmait comme l'un des pionniers de la Déconstruction. Comme le montrent le Parc de la Villette et la serre de Groningue, cette théorie comporte dans son travail trois aspects distincts : 1/ le rejet des solutions synthétiques en faveur de la "disjonction" ; 2/ le remplacement des principes fonctionnalistes par une "superposition" d'éléments formels et fonctionnels ; 3/ la mise en œuvre de la fragmentation tel un dispositif analytique qui vise de nouveaux "systèmes architecturaux". Pour Tschumi, la notion de disjonction renvoie à la dichotomie entre les pratiques du passé et les conditions de vie de la société actuelle. Ces pratiques s'inspirent le plus souvent "de la fusion entre forme et fonction, programme et contexte, structure et signification. Cette fusion trouve son principe fondateur dans la croyance en un sujet unifié, centré et auto-générateur, dont l'autonomie se traduit par celle de l'œuvre elle-même. Mais à un moment donné, ces pratiques de longue date, qui portent l'accent sur la synthèse, l'harmonie, et la coïncidence d'éléments potentiellement disparates, se détachent de leur culture." Dans chacun de ses projets, Tschumi s'efforce d'y remédier par une réévaluation des conditions de cette culture. A La Villette, il remet en cause les prototypes consacrés du parc-dans-la-ville en remplaçant le paysage attendu par une série d'arbres *High-tech* ; à Groningue, la stabilité même de la structure s'évanouit devant l'immatérialité de l'image électronique.

Page de gauche et ci-contre
Parc de la Villette, Paris, France.

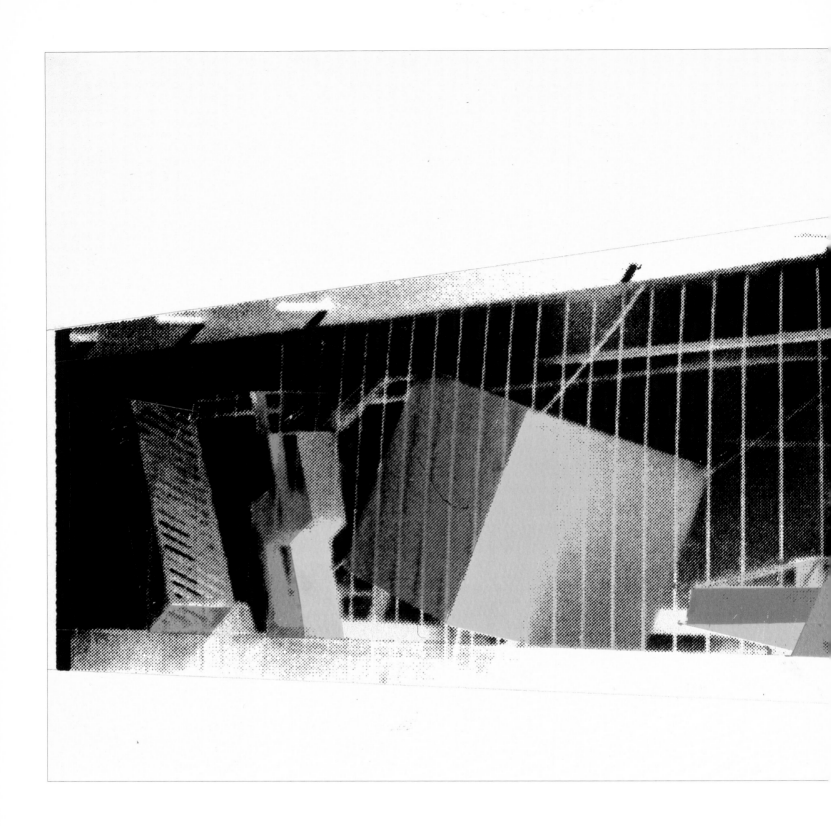

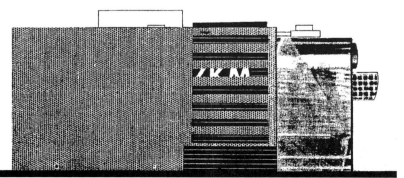

Tschumi fait appel aux dernières techniques informatiques de dessin et au collage pour obtenir les superpositions qui font de son architecture le prolongement direct de la civilisation de l'image de notre temps.

Ci-dessus, à l'extrême-gauche et à gauche
Centre pour les arts et les technologies des médias, Karlsruhe, Allemagne.

Pages suivantes
Serre Vidéo, Groningue, Pays-Bas.

Coop Himmelblau

"Coopérative bleu ciel" peut paraître un nom quelque peu éthéré pour un groupe d'architectes voué à la destruction de l'ordre établi - surtout lorsqu'il s'agit de l'ordre de la ville. Pour Wolf Prix et Helmut Swiczinsky, si "les temps durs exigent une architecture dure", la notion même d'architecture, dans l'acception traditionnelle du terme, est "révolue". En guise d'alternative, ils proposent une stratégie agressive qui consiste à manier les formes comme s'il s'agissait d'armes : "En tant que Viennois, nous nous sentons proches de Freud, qui nous a appris que le refoulement exige une énorme dépense d'énergie. Nous aimerions dépenser cette énergie-là dans nos projets. Le monde sensé et douillet de l'architecture n'existe plus, et ne reviendra jamais." Cette déclaration formelle de guerre à l'architecture, s'est faite, il y a plus d'une décennie, par la mise à feu d'une tour de 15 mètres qu'ils avaient construite au centre de Vienne, et qu'ils avaient appelée "l'aile ardente", plantée au flanc d'un immeuble ancien. En 1984, ils ont transposé ces pyrotechnies en un "arc" de verre et d'acier, tendu en diagonale à l'un des angles du toit d'un vieil immeuble de la même ville. Evoquant une variante cristalline de l'insecte de Kafka, elle montre à quel point Prix et Wiczinsky intègrent "l'instant conceptuel" dans leurs projets.

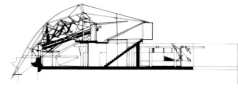

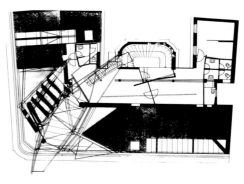

Le groupe Coop Himmelblau réexamine tous les aspects conventionnels de l'architecture, et en particulier les rapports entre la forme et la fonction, de même que la manière dont la structure les reflète.

Page de gauche et ci-contre et ci-dessus
Remodelage de la couverture d'un comble, Vienne, Autriche.

Ci-contre, en haut
Funder Factory 3, St. Veit/Glan, Autriche.

En bas
Tour Horizon, Hambourg, Allemagne.

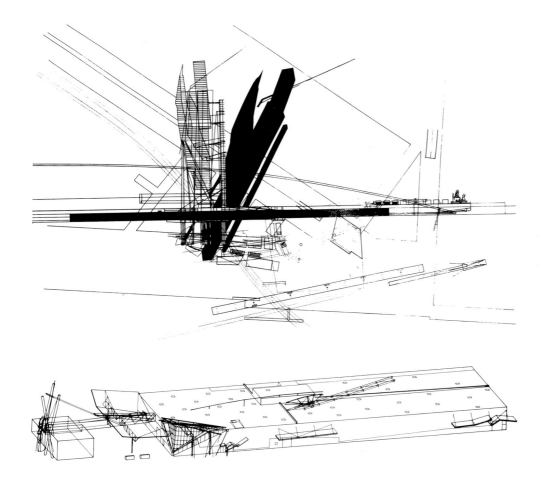

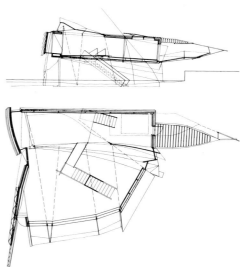

Le verre est devenu, non sans ironie, l'un des matériaux favoris de ces architectes, du reste pour bien des raisons analogues à celles qui avaient séduit les premiers visionnaires du mouvement Moderne. Les membres du groupe Coop Himmelblau se passionnent aussi pour les jeux de lumière à l'intérieur de l'espace ainsi défini.

Ci-contre et ci-dessus
Open House, Malibu, Californie, Etats-Unis.

Frank Gehry

Les disjonctions formelles qui parsèment son œuvre font que Frank Gehry est souvent considéré comme un "déconstructiviste", une association qu'il n'a pas cherchée délibérément. En fait, il s'est plutôt posé en médium sensible à un environnement fragmentaire et changeant. En tant que père fondateur de "l'école de Los Angelès", Gehry a été le premier à donner expression au chaos de cette "ville dépourvue de centre", et où l'automobile a généré une subculture qui lui est propre. Les bâtiments de Gehry ont une qualité inachevée qui tend à exprimer la condition urbaine, non seulement dans sa propre ville, mais dans d'autres métropoles. L'image qu'il en donne se trouve rehaussée par un choix de matériaux "pauvres" pour les revêtements : bois contre-plaqué, tôles ondulées ou galvanisées, grillage de clôture. Ses bâtiments sont comparables à des collages de Kurt Schwitters, où des objets trouvés, d'une grande banalité, sont juxtaposés de manière à révéler leur beauté intrinsèque. Gehry a confirmé cette relation directe avec l'art :

"Je puise mon inspiration dans le travail des artistes. J'essaie de me débarrasser du fardeau de la culture, et je suis toujours à la recherche de voies nouvelles. Je veux garder l'esprit ouvert : pas de règles fixes, pas de bon ou de mauvais. J'ai du mal à faire la différence entre le beau et le laid."

En tant qu'artiste-architecte, Gehry semble s'intéresser davantage aux aspects sculpturaux de ses édifices qu'aux exigences fonctionnelles ou programmatiques. Pourtant, en dépit de ce manque apparent de pragmatisme, il est très soucieux des besoins de ses clients. C'est cette capacité à entretenir un fragile équilibre entre l'espièglerie et le professionnalisme, tout en commentant la condition moderne, qui fait de l'œuvre de Gehry une contribution tout à fait extraordinaire à l'architecture de notre temps.

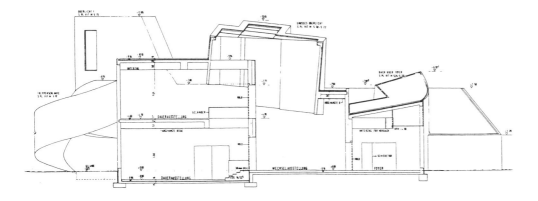

Avec le temps, des commandes plus importantes ont rendu possible une exploration formelle plus complexe, et elles ont offert à l'architecte l'occasion d'apporter un commentaire sur les caractéristiques de villes autres que Los Angelès.

Page de gauche et ci-contre
Vitra Design Museum, Weil am Rhein, Allemagne.

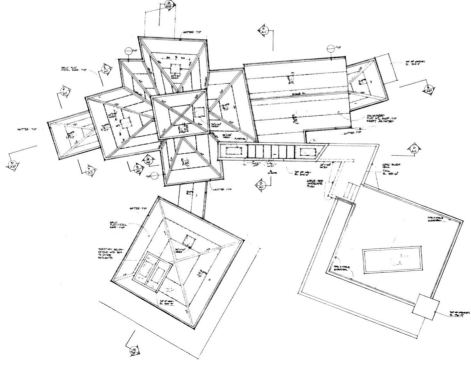

Parfois, la manière dont Gehry s'exprime sur l'aggressivité fondamentale du mode de vie urbain actuel se modifie et propose une alternative. Ainsi qu'en témoigne la Faculté de Loyola, où un univers abstrait, protégé, se substitue à la dure réalité extérieure, toute proche.

Ci-dessus
Faculté de droit Loyola, Los Angelès, Californie, Etats-Unis.

Ci-contre et pages précédentes
Résidence Sirmai-Peterson, Thousand Oaks, Californie, Etats-Unis.

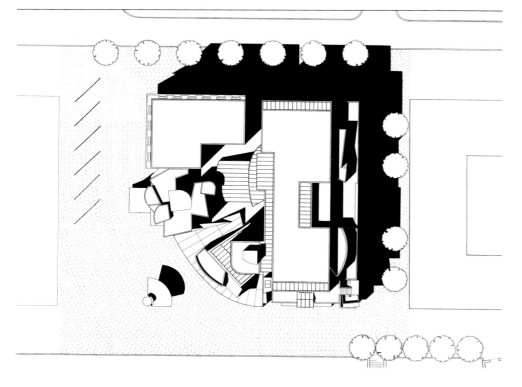

Il arrive souvent à Gehry d'estomper volontairement dans son œuvre la mince frontière qui
sépare l'art de l'architecture pour créer une
sculpture habitable.

Ci-dessus
Restaurant de poisson, Kobe, Japon.

Ci-contre
Centre américain, Paris, France.

Daniel Libeskind

C'est sans doute à Umberto Eco qu'on peut attribuer la paternité de l'idée de considérer l'architecture comme un palimpseste (1) fait d'écritures superposées. Daniel Libeskind, quant à lui, refuse obstinément de croire que l'effacement de l'objet signifie sa destruction. Ce qu'il reconnaît cependant, c'est que le rythme de la vie moderne doit nous inciter à modifier radicalement notre façon de voir l'architecture, et, pour ce faire à en façonner un langage entièrement nouveau :

"Dès qu'il aborde le projet - que la plume touche le papier -, le dessinateur se détourne de l'objet, annule ses antécédents, génère une suite interminable de principes de finalité. Jusqu'à présent, l'architecture a fait fausse route. Et surtout, elle a manqué de modestie. La pensée architecturale n'est plus ; elle ne peut plus faire référence à elle-même - elle est en train de basculer dans le passé : elle est entrée dans une phase de coda. Un "EX" code devenu indéchiffrable, un "X", un CODEX qui compromet ses origines et son originalité pour créer du non-original, fondé sur l'incertitude et le vide, un langage de morts, qui refuse pourtant d'être un monument à la mort du langage."

(1) Palimpseste; parchemin manuscrit dont on a effacé la première écriture pour pouvoir écrire un nouveau texte (Robert)

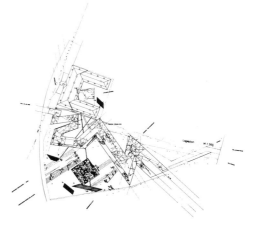

Dans le Codex que Libeskind cherche à créer, notre vieux langage reste essentiel pour la formation du nouveau, même si la syntaxe en est parfois complètement différente.

Page de gauche
Mémorial Mies Van der Rohe, "Never is the Centre".

Ci-contre
Annexe juive au musée de Berlin

Pages suivantes, en haut
Maquette aile Alef

En bas
Berlin, concours pour les confins de la ville.

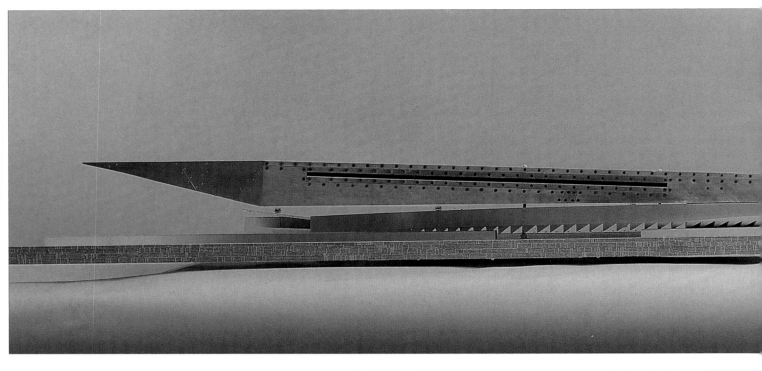

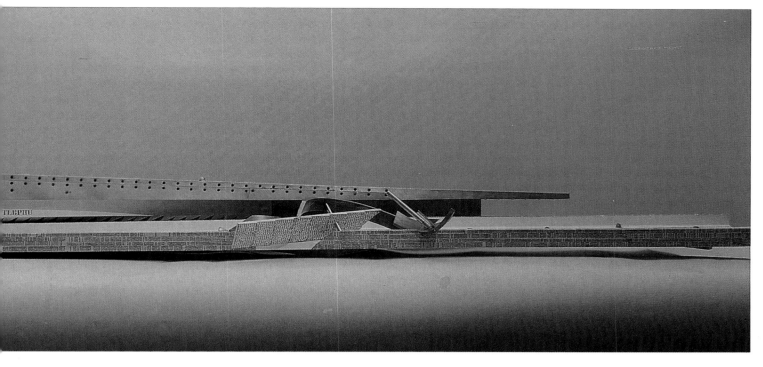

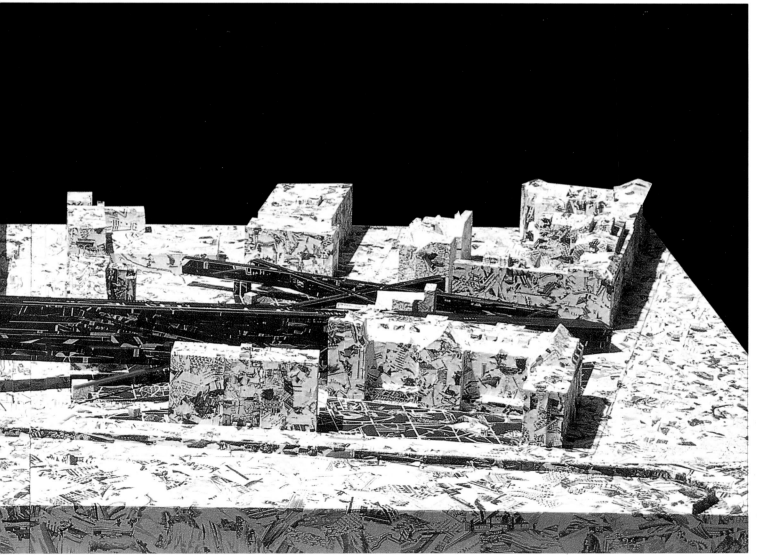

HYS

Günter Behnisch

Depuis la construction, pour les jeux olympiques de Munich de 1972, d'un stade dont la spectaculaire toiture a frappé les esprits, l'esthétique de Behnisch Partners a beaucoup évolué. Bien qu'on continue à y prôner les formes légères et les espaces flexibles, et qu'on s'y méfie encore des formules typologiques faciles, on a commencé à interroger la structure d'une manière qu'on aurait jugée impensable il y a vingt ans. Et pourtant, Behnisch n'a rien perdu de son goût des matériaux nouveaux, telle la toile acrylique du stade olympique, ni son penchant pour les tours de force d'ingénierie, qui frôlent toujours l'impossible. En fait, Behnisch poursuit ce que le critique Justus Dahinden a pu appeler la "confrontation globale avec la réalité", qu'il s'agisse des lois de la physique (celle de la pesanteur, par exemple) ou de la lutte quotidienne contre les entraves institutionnelles et budgétaires. A l'Institut Hysolar de l'université de Stuttgart, un projet conjoint arabe et allemand, des délais serrés et un budget très réduit ont joué un rôle aussi important que l'esthétique ; le résultat est un reflet fidèle de la démarche actuelle de Behnisch, et il est d'autant plus remarquable que le parti architectural ne le cède en rien à la logique constructive. Ainsi Günter Behnisch entretient-il un équilibre de funambule, entre le respect du programme et la volonté de passer outre.

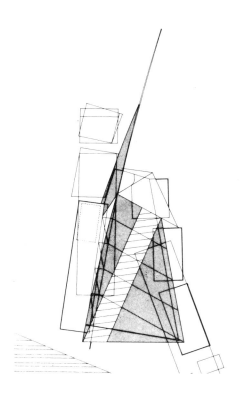

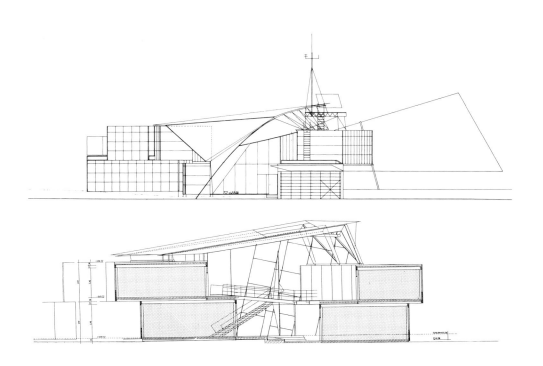

Le même attrait pour l'acier, le verre et leur combinaison qui caractérisait le style de cet architecte dans le passé demeure évident dans ses nouvelles recherches, mais à présent, il pousse les méthodes d'assemblage jusqu'à la limite.

Page de gauche, ci-contre et ci-dessus
Institut Hysolar, université de Stuttgart, Allemagne.

Odile Decq, Benoît Cornette

"Au-delà de ce qu'inscrit sans équivoque le Déconstructivisme dans le Modernisme, il semble qu'il y ait émergence de signes d'une architecture nouvelle dans les projets de certains architectes associés à cette tendance. La question qui se pose est donc de savoir s'il s'agit seulement d'une différence dans l'expression formelle ou d'une différence de nature, et si l'on se trouve face à une architecture qui se situerait "ailleurs" ou au-delà du Modernisme.

Les bâtiments récents de certains architectes japonais, ou une remarque comme celle de Shinohara soulignant que "bien des architectes ont adopté pour principe de travail l'idée qu'une ville confuse et désordonnée n'est pas dénuée de séduction", suggèrent l'apparition de nouveaux systèmes de référence esthétique.

La façade entière d'un bâtiment (la BPO, à Rennes), traitée comme un simple film de verre suspendu, tend à en dissocier les limites physiques et visuelles, et marque peut-être l'apparition d'un nouveau système de relations entre l'espace et ses limites.

L'implantation par points équidistants des "folies" de Bernard Tschumi à la Villette étend à l'ensemble du parc les fonctions d'accueil et de service. Il s'agit là d'un nouveau système d'organisation spatiale : le déplacement devient la mesure de perception de l'espace.

Ces trois exemples parmi d'autres nous semblent révélateurs de l'émergence d'une architecture différente. La production de cette nouvelle nature architecturale mérite d'être analysée. S'agit-il d'une évolution au sein du Modernisme ou sommes-nous face à l'émergence d'une mutation plus profonde en chemin vers un au-delà du Moderne, un "sur-Moderne" ? Y a-t-il une simple évolution des modalités d'expression ou assiste-t-on aux débuts d'une rupture et, dans ce cas, à l'édification des prémisses de nouvelles règles, d'une nouvelle logique, d'une nouvelle pensée architecturale ?"

Odile Decq - Benoît Cornette

Odile Decq et Benoît Cornette se jouent des contraintes techniques dans leur Banque populaire de l'Ouest en détachant la façade du corps du bâtiment. D'autres éléments simulant la perte de gravité les rattachant aux Déconstructivistes.

Page de gauche, ci-contre et ci-dessus
Banque populaire de l'Ouest, Rennes, France.

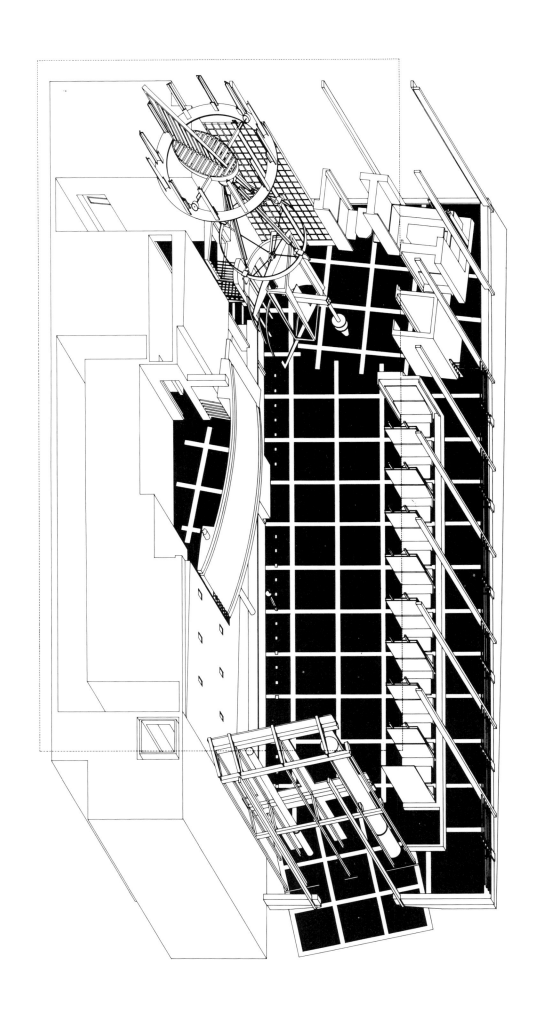

204

Morphosis

Dans le catalogue d'une récente exposition consacrée à leurs projets résidentiels, Thom Mayne et Michael Rotondi livrent quelques clés de leur démarche : "Un de nos points de départ est la bataille à venir ; c'est ce qui nous permet de comprendre l'évolution du projet. Un bâtiment s'apparente à la vie ; c'est un lieu de confrontation permanente avec la complexité et les contradictions de la ville. Si les vicissitudes de la vie entrent en jeu dans la "réussite" et la force de caractère de l'individu, celles du projet peuvent apporter une réponse riche et adéquate aux exigences contradictoires du site, du client, du programme et de son architecture. Nos projets s'inspirent des rapports possibles entre l'objet et son environnement... En somme, nous célébrons la complexité".

En dépit de leur étiquette de Déconstructivistes, Mayne et Rotondi ne partagent guère les préoccupations quasi métaphysiques, communes à cette école. Ils s'en démarquent au contraire par leur souci de faire coller les bâtiments au contexte immédiat, - même si, face à l'hostilité de leurs pairs, ils adoptent le plus souvent une position défensive, parfois qualifiée d'agressive, qui tend à masquer leur souci de créer des "réponses" bien plus que des objets-phares.

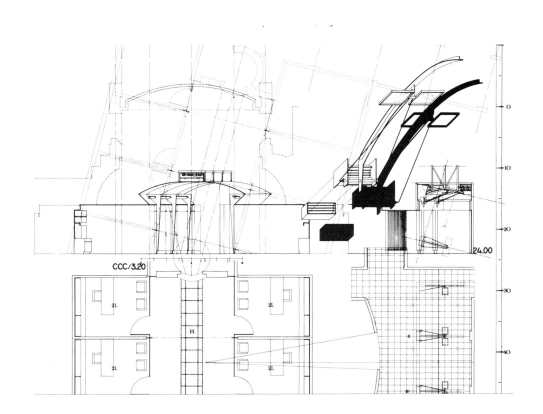

Page de gauche
Restaurant Kate Mantilini, Santa Monica, Californie, Etats-Unis.

A gauche
Sixth Street Residence, Los Angelès, Californie, Etats-Unis.

205

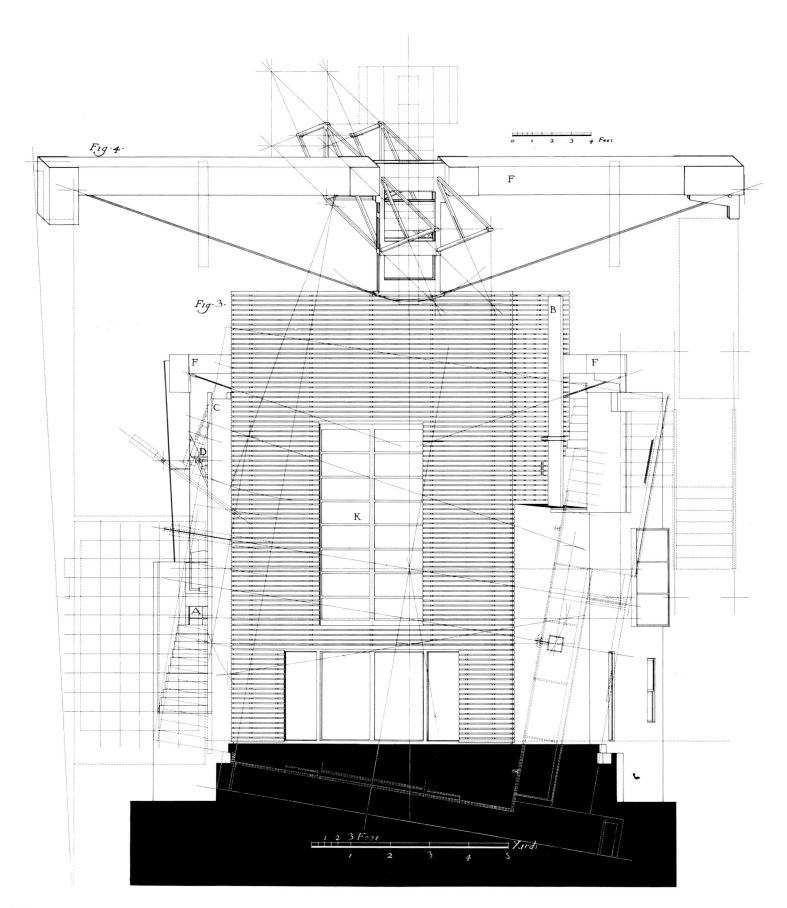

Fig. 4.

Fig. 3.

F

F   F

C

D

A

K

B

0 1 2 3 4 Feet

1 2 3 Feet

Yards
1   2   3   4   5

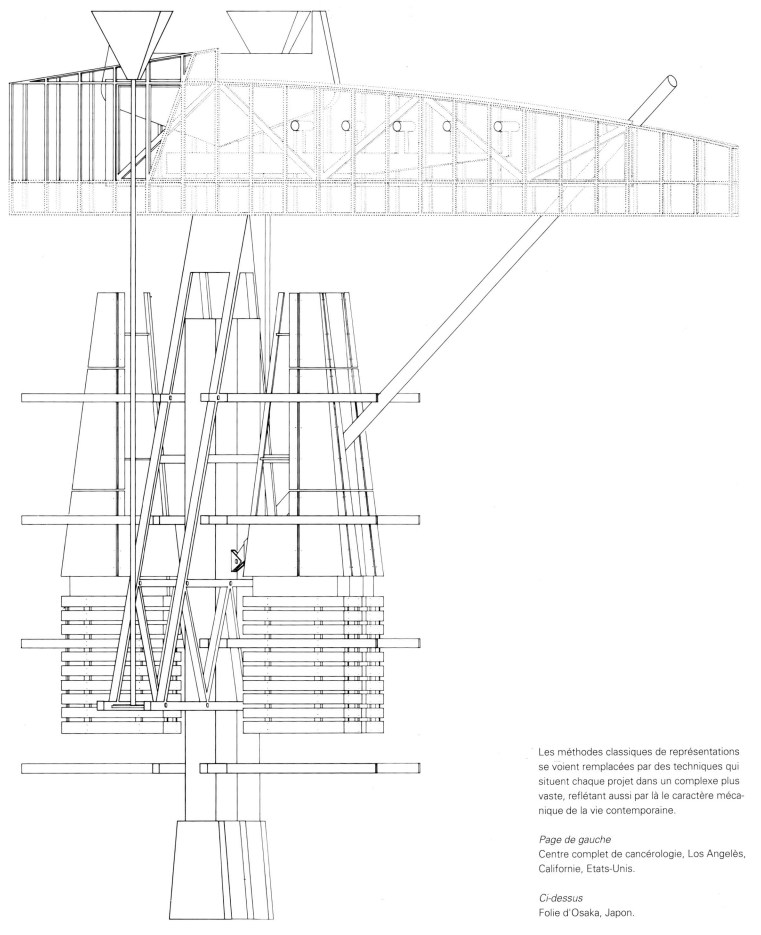

Les méthodes classiques de représentations se voient remplacées par des techniques qui situent chaque projet dans un complexe plus vaste, reflétant aussi par là le caractère mécanique de la vie contemporaine.

Page de gauche
Centre complet de cancérologie, Los Angelès, Californie, Etats-Unis.

Ci-dessus
Folie d'Osaka, Japon.

OMA

L'OMA *(Office for Metropolitan Architecture),* fondé en 1975 à Londres et Rotterdam par Rem Koolhaas, Elia et Zoë Zenghelis, et Madelon Vriesenorp, est resté fidèle à son objectif premier : replacer l'architecture contemporaine dans le contexte de la culture moderne. A l'orée des années soixante-dix, lors de séjours d'étude aux Etats-Unis, Koolhaas a travaillé avec Peter Eisenmann et O. M. Ungers. Puis il a entrepris avec Elia Zenghelis une série de projets pour New York qui a débouché, en 1978, sur la publication de *New York Délire,* ouvrage qui témoigne de la passion avec laquelle ils ont recherché, dans la ville la plus forte et la plus cosmopolite, les indices d'une culture urbaine spécifique aux Etats-Unis. Les membres de l'OMA sont alors revenus en Europe afin d'y explorer les possibilités d'une intervention moderne dans le tissu traditionnel de ses villes. En 1978, ils ont remporté le concours pour l'extension du Parlement néerlandais, avant de bâtir à Amsterdam, La Haye et Berlin. L'OMA réalise aujourd'hui un grand projet d'urbanisme et d'architecture autour de la nouvelle gare de Lille.

Avec sa théorie de la *rétroaction,* Koolhaas tente d'inventer une archéologie de la Modernité, puis de l'appliquer aux villes telles qu'elles sont aujourd'hui : "S'il y a dans notre travail une méthode, c'est celle de l'idéalisation systématique ; une surestimation automatique de ce qui existe, un bombardement spéculatif qui, avec des charges conceptuelles et idéologiques rétroactives, investit même ce qu'il y a de plus médiocre".

L'optimisme héroïque d'OMA consiste à ne jamais désespérer d'un contexte aussi médiocre soit-il et de lui insuffler une énergie nouvelle et positive.

Ci-contre
Théâtre de la Danse, La Haye, Pays-Bas.

Page de gauche
Le foyer et son bar suspendu, Théâtre de la Danse, La Haye, Pays-Bas.

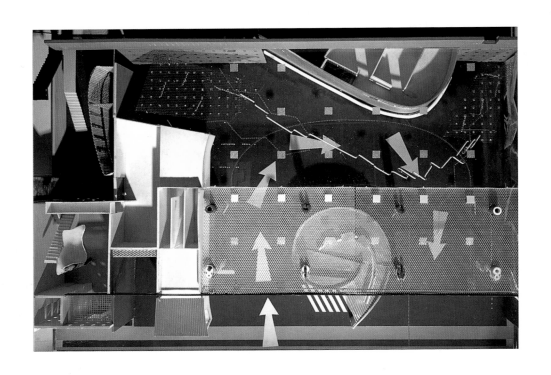

Page de droite
Immeuble Check Point Charlie, Berlin Kreuzberg, Allemagne.

Ci-dessus, en haut
Maquette vue en plan

Ci-dessus, en bas
Coursive des logements

210

Emilio Ambasz

A l'image de son mentor, Luis Barragan, Emilio Ambasz a appauvri volontairement son vocabulaire architectural pour créer un maximum d'effets avec un minimum de moyens. Pour Barragan, ces moyens étaient : la surface, le paysage, l'eau, la couleur, et il les conjuguait de manière à saisir l'essence même du Mexique. Barragan a compris que, quelle que soit la durabilité de l'œuvre architecturale, elle ne pouvait jamais n'être qu'une intruse, l'art consistant alors à limiter les effets de cette intrusion.

Dans sa solution lyrique, mais non moins réaliste, pour les serres du Conservatoire botanique à San Antonio, au Texas, Ambasz va au-delà de la couleur pour en arriver à l'idée d'une réconciliation possible avec la nature. Comme il le dit lui-même : "Le Conservatoire est creusé dans la terre : il entretient et prolonge le paysage qui l'entoure, et crée une symbiose entre nature et culture. Les toitures, d'une configuration variable, prennent en compte la direction des vents et l'orientation du soleil".

A l'intérieur, on traverse une orangerie très étendue, une "pièce" embuée, abritant des fougères et une cascade, un désert, une forêt tropicale, des alpages... Comme toutes les œuvres d'Ambasz, le Conservatoire est un monde en microcosme.

Ambasz crée des paysages symboliques, qui se fondent dans la nature avoisinante, au lieu de s'imposer à elle. A San Antonio, il a créé en outre un ensemble qui devient un microcosme.

Page de gauche et ci-contre
Jardin botanique de San Antonio, Texas, Etats-Unis.

213

Site

Avec son acronyme pour "Sculpture in the Environment", Site ne cache rien de ses objectifs. Groupe pluridisciplinaire d'architectes, de sociologues et d'artistes, Site entend explorer de nouveaux domaines conceptuels, à travers ce qu'il appelle la "dé-architecture", un mode d'intervention qui vise à dialoguer avec l'environnement plutôt qu'à y effectuer de simples ajouts. Les principaux membres de Site sont James Wines, Alison Sky et Michelle Stone. Leurs réalisations comprennent une série de magasins pour la société Best Products : le projet-pelure à Richmond, en Virginie, le projet-ébréché à Sacramento, en Californie, la Façade Indéterminée à Houston, au Texas, et le Magasin Incliné à Towson, dans le Maryland. Ces locaux d'exposition constituent un commentaire ironique quant à la demande croissante d'une architecture commerciale qui soit remarquable - littéralement -, et sur le caractère transitoire de la société du jetable.

A la différence de ces premiers projets à forte symbolique, volontiers pleins d'humour et de provocation, le Pont des Quatre-Continents, à Hiroshima, qui vient d'être achevé, est une œuvre plus subtile : faite de verre, d'eau et d'acier, elle dialogue avec les éléments du paysage pour créer une métaphore globale. Le projet comprend une délicate cascade d'eau pulvérisée, qui donne l'impression que le pont flotte et une autre qui tombe en rideaux, le long de panneaux de verre verticaux marquant l'entrée du pont, gestes symboliques, appropriés à la nation insulaire qu'est le Japon. Avec ses projets et ses réalisations, qui dépassent le registre stylistique grâce à leur valeur de commentaire, Site s'est fait une place unique dans l'architecture mondiale.

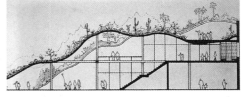

L'écologie est une préoccupation constante pour le groupe Site, et sa "dé-architecture" fournit des commentaires, sérieux, lyriques, voire ironiques, à propos de la place qu'il convient d'accorder aux éléments construits, rapportés dans un environnement.

Page de gauche
Pont des Quatre-Continents, Hiroshima, Japon.

Ci-contre et ci-dessus
Pavillon de l'écologie du monde, Séville, Espagne.

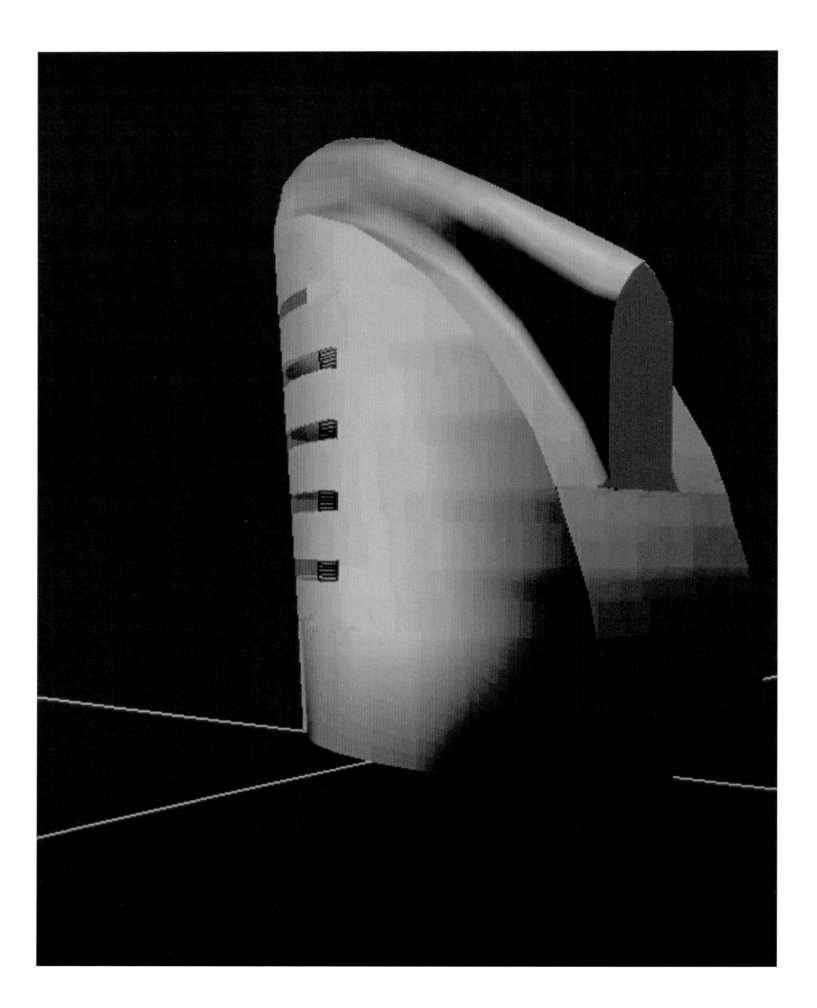

Philippe Starck

Ceux qui pensent que la déconstruction et le post-modernisme sont les derniers parangons de l'originalité (et le consumérisme ambiant, la banqueroute finale de la forme), doivent s'indigner à l'idée que Starck fasse son chemin dans l'architecture. Le travail de Starck fournit la preuve, s'il en était besoin, que le culte de la personnalité est encore vivant, et que la forme nouvelle, comme la musique, peut se recréer à l'infini à partir d'un nombre fixe de générateurs. Comme d'autres créateurs de formes, il a trouvé une audience réceptive au Japon, où l'originalité est particulièrement prisée. A Tokyo - ville d'objets individualistes - ceux de Starck se démarquent par des formes bizarres, en mutation. Comme l'a signalé Marco Romanelli dans Domus, Starck crée "une architecture de signes et de signaux de deuxième degré au moins, où les choses ne procèdent plus par un symbolisme direct [...] mais d'une manière plus occulte, en masquant le fonctionnel et le 'communicatif' de sorte que la qualité énigmatique devient à la fois métaphore et message."

Dans ce sens, "NaniNani" est non seulement une fantaisie ludique du genre science-fiction, mais l'expression logique d'une culture qui attache beaucoup d'importance à l'identité corporatiste.

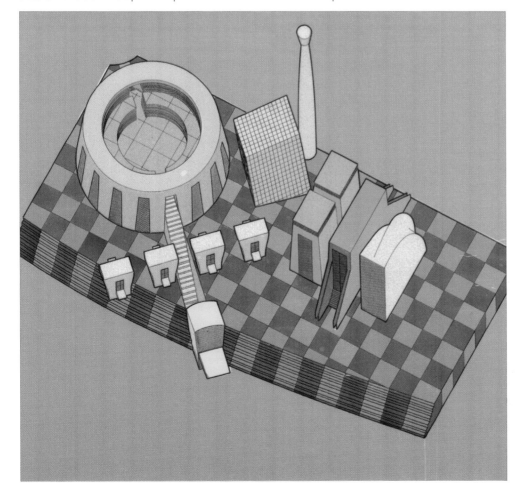

Une "peau" verte, en cuivre pré-oxydé, donne un aspect primitif, antédiluvien, à la surface lisse, créée par l'ordinateur, du NaniNani Building.

Page de gauche
NaniNani Building, Tokyo, Japon.

Ci-contre
Maisons d'habitation, île Saint-Germain, Issy-les-Moulineaux, France.

Pages suivantes
Immeuble Asahi, Tokyo, Japon.

Remerciements

Cette anthologie a été réalisée en étroite collaboration avec le magazine *Architectural Design*. En tant qu'éditeur de A. D., il m'a été donné de suivre régulièrement, au cours des dix dernières années, les travaux des architectes les plus connus. Ce livre est le fruit de ma collaboration avec James Steele et l'équipe de *Architectural Design*. Il doit aussi beaucoup aux architectes et aux critiques qui ont apportés leur contribution à A. D. depuis une dizaine d'années. Je suis tout particulièrement reconnaissant à Ada Louise Huxtable, Charles Jenks, Richard Meier et Demetri Porphyrios qui m'ont autorisé à reproduire leurs articles. Ma gratitude va également aux architectes qui ont fourni beaucoup de documents d'illustrations.
J'aimerais remercier particulièrement James Steele pour ses textes d'introduction et pour la rédaction des légendes. Ce livre est le fruit d'un travail d'équipe et celle des éditions Academy qui s'est montrée efficace et enthousiaste : merci donc à Andrea Bettela, Maggie Toy, Sharon Anthony, Helen Castle, Nicolas Hodges, Vivian Constantinopoulos, Mario Bettela et Ian Huebner.

Andreas Papadakis

Index biographique

Crédit photos

Nous exprimons notre gratitude aux architectes, aux auteurs et aux artistes qui ont apporté à cet ouvrage une aide généreuse.
Nous nous sommes efforcés d'attribuer à chacune des illustrations une origine précise : en cas d'erreur ou d'omission, les rectifications seront apportées dans les éditions futures.
La plupart des illustrations proviennent de la revue *Architectural Design* où elles ont été publiées au cours de la décennie 1980.
Les sources identifiées sont les suivantes :

INTRODUCTION

p. 1 : I. M. Pei, Pyramide du Louvre/photo Andreas Papadakis.

p. 2 : Aldo Rossi, Il Palazzo/photo provenant du Studio 80, Tokyo.

p. 6 : Nocturne/peinture de Rita Wolff.

LA TRADITION CLASSIQUE

p. 8 : Maison à Chelsea Square/peinture de Rita Wolff.

p. 9 : *L'architecture classique, une juste cause*/extrait d'une conférence de Demetri Porphyrios au symposium "Le nouveau classicisme" à la Tate Gallery, à Londres.

p. 13 : Léon Krier, la villa de Pline/peinture de Rita Wolff.

p. 14-19 : Robert Stern, maison à Marblehead et Observatory Dining Hall/photos T. Whitney Cox ; Siège social de Mexx/photo Peter Aaron, ESTO.

p. 22-25 : Allan Greenberg, Département d'Etat/photo Richard Cheek ; Ferme dans le Connecticut/photo Peter Mauss, ESTO.

p. 28-31 : Quinlan Terry, illustrations du développement de Richmond Riverside fournies par Mr. Thody de Haslemere Estates et Mr. Chris Parkinson de Richard Ellis.

p. 32-33 : Demetri Porphyrios, Chepstow Villas/photos Mark Fiennes.

p. 34-39 : Aldo Rossi/photos fournies par le professeur Graffner.

p. 40 : Gordon Wu dining hall/photo X

p. 41-55 : *Le classicisme nouveau et ses règles*, Charles Jencks/extrait d'*Architectural Design*, vol. 58, 1/2 1988.

MODERNISME et HIGH TECH

p. 57 : *A propos de l'architecture moderne*, Ada Louise Huxtable/extrait d'*Architectural Design*, vol. 51, 1/2 1981.

p. 58-63 : Richard Meier, tours de Madison Square Garden/photos ESTO ; Maison Ackerberg et musée des Arts décoratifs à Francfort/photos Wolfgang Hoyt.

p. 70-71 : Ralph Erskine, bibliothèque de l'université de Stockholm/photos Rolf Dahlström.

p. 76-77 : Henri Ciriani, maison de la Petite Enfance/photos J. M. Monthiers.

p. 78-79 : I. M. Pei, Pyramide du Louvre/photo Andreas Papdakis.

p. 80-81 : Mario Botta, médiathèque de Villeurbanne/photo X.

p. 82-87 : Norman Foster, aéroport de Stansted et centre Renault/photos Richard Davies ; Banque à Hong Kong/photo Ian Lambot.

p. 88-91 : Renzo Piano, Fondation De Menil/photos Paul Hester et Richard Bryan ; extension de l'IRCAM et centre Bercy/photos Michel Denance.

p. 92-97 : Richard Rogers, Banque Lloyd's/photos Richard Bryant ; Centre Georges Pompidou/photo Andreas Papadakis ; usine Imnos/photo Ken Kirkwood.

p. 98-101 : Cesar Pelli, Canary Warf/photo Kenneth Champlin ; Battery Park/photo Charles Jencks ; Pacific Design Center/photo Adrian Velicescu.

p. 102-107 : Christian de Portzamparc, Cité de la Musique/photo Nicolas Borel.

p. 108-111 : Michaël Hopkins, Mound Stand et Centre Schlumberger/photos David Bowers.

p. 112-117 : Jean Nouvel, Hôtel Belle Rive/photo Olivier Boissière ; Institut du Monde arabe/photo Georges Fessy ; INIST/photos François Bergeret.

p. 118-121 : Dominique Perrault, ESIEE/photos Georges Fessy ; Hôtel Berliet et bibliothèque de France/photos Michel Denance.

p. 123 : *Le thème de l'architecture*, Richard Meier/extrait d'*Architectural Design*, vol. 60, 7/8 1990.

LE POST-MODERNISME

p. 126-129 : Michael Graves, hôtel Dolphin et Swan/photo William Taylor.

p. 134 : O. M. Ungers, tour de la foire de Francfort/photo Andreas Papadakis.

p. 136-141 : James Stirling, Clore Gallery/photo fournie par David Lambert ; Staatgallerie à Stuttgart/photo Charles Jencks.

p. 146-147 : Ricardo Bofill/photos Charles Jencks.

p. 148-151 : Terry Farrell, Midland Bank/photo Jo Reid & John Peck et City & Central ; Embankment Place/photo Nigel Young.

p. 154-155 : Nigel Coates/photos Edward Valentine Harnes.

p. 156-161 : *Post-modernisme et discontinuité*, Charles Jencks/extrait d'*Architectural Design*, vol. 57, 1/2 1987 ; Performing Arts Center à l'université de Cornell/photo Richard Bryant.

LES NOUVEAUX MODERNES

p. 167 : *Déconstruction et architecture*/extrait de *Deconstruction Omnibus*, Academy Editions, 1989.

p. 168-173 : Peter Eisenman, Wexner Center/photos Jeff Goldberg, ESTO et photos D. G. Olshavsky, ARTOG ; Immeuble à Kochstrasse/photo Dick Frank.

p. 186-189 : Coop Himmelblau, toit à Vienne/photo Gerald Zugmann.

p. 190-195 : Frank Gehry, musée Vitra/photos fournies par Vitra ; Maison Sirmai Petersen/photo Olivier Boissière ; Ecole de droit Loyola et Fish Dance/photos Charles Jencks.

p. 202-203 : Decq et Cornette, Banque populaire de l'Ouest/photos Stéphane Couturier.

p. 208-211 : OMA, Théâtre de la Danse/photos Olivier Boissière ; Check Point Charlie/photos Uwe Rav et Michel Claus.

Imprimé en Italie
Printed in Italy